读经典 学养生

SHOU
SHI
CHUAN
ZHEN

# 寿世传真

清

徐文弼 著

中国医药科技出版社

主编 吴宇峰 寇馨云

## 内容提要

《寿世传真》由清代徐文弼编撰，是一部气功养生著作。全书分为修养宜行外功、修养宜内联功、修养宜宝精宝气宝神、修养宜知要知忌知伤、修养宜四时调理、修养宜饮食调理、修养宜堤防疾病、修养宜护持药物八卷，主要介绍了按摩导引、气功、四时调摄、饮食宜忌、延年方药等养生理论和方法。本书内容丰富，并选取至今仍有益于养生的内容加以注释，适合中医药养生爱好者参考阅读。

## 图书在版编目（CIP）数据

寿世传真 /（清）徐文弼著；吴宇峰，寇馨云主编. — 北京：中国医药科技出版社，2017.7

（读经典 学养生）

ISBN 978-7-5067-9141-0

Ⅰ. ①寿⋯　Ⅱ. ①徐⋯　②吴⋯　③寇⋯　Ⅲ. ①养生（中医）–中国–清代　Ⅳ. ①R212

中国版本图书馆CIP数据核字(2017)第047373号

# 寿世传真

**美术编辑**　陈君杞

**版式设计**　大隐设计

出版　中国医药科技出版社

地址　北京市海淀区文慧园北路甲 22 号

邮编　100082

电话　发行：010-62227427　邮购：010-62236938

网址　www.cmstp.com

规格　787×1092mm ¹/₃₂

印张　6 ³/₈

字数　82 千字

版次　2017 年 7 月第 1 版

印次　2017 年 7 月第 1 次印刷

印刷　北京九天众诚印刷有限公司

经销　全国各地新华书店

书号　ISBN 978-7-5067-9141-0

定价　16.00 元

# 丛书编委会

# 本书编委会

**主　编**

吴宇峰　寇馨云

**副主编**

陈子杰　白俊杰　张小勇

# 出版者的话

中医养生学有着悠久的历史和丰富的内涵，是中华优秀文化的重要组成部分。随着人们物质文化生活水平的不断提高，广大民众越来越重视健康，越来越希望从中医养生文化中汲取对现实有帮助的营养。但中医学知识浩如烟海、博大精深，普通民众不知从何入手。为推广普及中医养生文化，系统挖掘整理中医养生典籍，我社精心策划了这套"读经典 学养生"丛书，从浩瀚的中医古籍中撷取20种有代表性、有影响、有价值的精品，希望能满足广大读者对养生、保健、益寿方面知识的需求和渴望。

为保证丛书质量，本次整理突出了以下特点：①力求原文准确，每种古籍均遴选精善底本，加以严谨校勘，为读者提供准确的原文；②每本书都撰写编写说明，介绍原著作者情况，该书主要内容、阅读价值及其版本情况；③正文按段落注释疑难字词、中医术语和各种文化常识，便于现代读者阅读理解；④每本书都配有精美插图，让读者在愉悦的审美体验中品读中医养生文化。

需要提醒广大读者的是，对古代养生著作中的内容我们也要有去粗取精、去伪存真的辩证认识。"读经典 学养生"丛书涉及大量的调养方剂和食疗方，其主要体现的是作者在当时历史条件下的养生方法，而中医讲究辨证论治、因人而异，因此，读者切不可盲目照搬，一定要咨询医生针对个体情况进行调养。

中医养生文化博大精深，中国医药科技出版社作为中央级专业出版社，愿以丰富的出版资源为普及中医药文化、提高民众健康素养尽一份社会责任，在此过程中，我们也期待读者诸君的帮助和指点。

中国医药科技出版社

2017 年 3 月

# 总序

养生（又称摄生、道生）一词最早见于《庄子》内篇。所谓生，就是生命、生存、生长之意；所谓养，即保养、调养、培养、补养、护养之意。养生就是根据生命发展的规律，通过养精神、调饮食、练形体、慎房事、适寒温等方法颐养身心、增强体质、预防疾病、保养身体，以达到延年益寿的目的。纵观历史，有很多养生经典著作及专论对于今天学习并普及中医养生知识，提升人民生活质量有着重要作用，值得进一步推广。

中医养生，源远流长，如成书于西汉中后期我国现存最早的医学典籍《黄帝内经》，把养生的理论和方法叫作"养生之道"。又如《素问·上古天真论》云："上古之人，其知道者，法于阴阳，和于术数，食饮有节，起居有常，不妄作劳，故能形与神俱，而尽终其天年，度百岁乃去。"此处的"道"，就是养生之道。

需要强调的是，能否健康长寿，不仅在于能否懂得养生之道，更为重要的是能否把养生之道贯彻应用到日常生活中去。

此后，历代养生家根据各自的实践，对于"养生之道"都有着深刻的体会，如唐代孙思邈精通道、佛之学，广集医、道、儒、佛诸家养生之说，并结合自己多年丰富的实践经验，在《千金要方》《千金翼方》两书中记载了大量的养生内容，其中既有"道林养性""房中补益""食养"等道家养生之说，也有"天竺国按摩法"等佛家养生功法。这些不仅丰富了养生内容，也使得诸家传统养生法得以流传于世，在我国养生发展史上，具有承前启后的作用。

宋金元时期，中医养生理论和养生方法日益丰富发展，出现了众多的养生专著，如宋代陈直撰《养老奉亲书》，元代邹铉在此书的基础上继增三卷，更名为《寿亲养老新书》，其特别强调了老年人的起居护理，指出老年之人，体力衰弱，动作多有不便，故对其起居作息、行动坐卧，都须合理安排，应当处处为老人提供便利条件，细心护养。在药物调治方面，老年人气色已衰，精神减耗，所以不能像对待年轻人那样施用峻猛方药。其他诸如周守忠的《养生类纂》、李鹏飞的《三元参赞延寿书》、王珪的《泰定养生主论》等，也均为养生学的发展做出了不同程度的贡献。

明清之际，先后出现了很多著名养生学家和专著，进一步丰富和完善了中医养生学的内容，如明代高濂的《遵生八笺》从气功角度提出了养心坐功法、养肝坐功法、养脾坐功法、养肺坐功法、养肾坐功法，又对心神调养、四时调摄、起居安乐、饮馔服食及药物保健等方面做了详细论述，极大丰富了调养五脏学说。清代尤乘在总结前人经验的基础上编著《寿世青编》一书，在调神、饮食、保精等方面提出了养心说、养肝说、养脾说、养肺说、养肾说，为五脏调养的完善做出了一定贡献。在这一时期，中医养生保健专著的撰辑和出版是养生学史的鼎盛时期，全面地发展了养生方法，使其更加具体实用。

综上所述，在中医理论指导下，先哲们的养生之道在静神、动形、固精、调气、食养及药饵等方面各有侧重，各有所长，从不同角度阐述了养生理论和方法，丰富了养生学的内容，强调形神共养、协调阴阳、顺应自然、饮食调养、谨慎起居、和调脏腑、通畅经络、节欲保精、益气调息、动静适宜等，使养生活动有章可循、有法可依。例如，饮食养生强调食养、食节、食忌、食禁等；药物保健则注意药养、药治、药忌、药禁等；传统的运动养生更是功种繁多，如动功有太极拳、八段锦、易筋经、五禽戏、保健功等，静功有放松功、内养功、强壮功、意气功、真气运行法等，动静结合功有空劲功、形神桩等。无论选学哪种功法，只要练功得法，持之以恒，都可收到健身防病、益寿延年之效。针灸、按摩、推拿、拔火罐等，也都方便易行，效果显著。诸如此类的方法不仅深受我国人民喜爱，而且远传世界各地，为全人类的保健事业做出了应有的贡献。

本套丛书选取了中医药学发展史上著名的养生专论或专著，加以句读和注解，其中节选的有《黄帝内经》《备急千金要方》《千金翼方》《闲情偶寄》《遵生八笺》《福寿丹书》，全选的有《摄生消息论》《修龄要指》《摄生三要》《老老恒言》《寿亲养老新书》《养生类要》《养生类纂》《养生秘旨》《养性延命录》《饮食须知》《寿世青编》《养生三要》《寿世传真》《食疗本草》。可以说，以上这些著作基本覆盖了中医养生学的内容，通过阅读，读者可以在品味古人养生精华的同时，培养适合自己的养生理念与方法。

当然，由于这些古代著作成书年代所限，其中难免有些糟粕或者不合时宜之处，还望读者甄别并正确对待。

翟双庆

2017 年 3 月

# 编写说明

《寿世传真》成书于清代,其内容丰富,涉及范围广,是一部气功养生著作,为后世养生保健事业的发展起到积极的影响。作者徐文弼,字襄右,号茝山,又号鸣峰,江西丰城人,清代举人。自幼业儒,广泛收集前人著述,并结合自己的亲身经验,写成这本养生学专著。

《寿世传真》共分为八卷。第一卷以外功为主,记述心功、身功、首功、面功、耳功、目功、口功、舌功、齿功、鼻功、手功、足功、肩功、背功、腹功、腰功、肾功的按摩导引术,深入浅出论述"却疾延年"的方法。第二卷主要讲内功,阐述静气调息和小周天功法,有静坐、内视、叩齿、鼓漱、咽津和运气于任督二脉。第三卷专述精气神的重要性和保养方法。第四卷提出养生保健的知要禁忌。第五卷主要叙述四时的特点与调护,提倡人们要顺应四季变化,起居有节，调养有方。第六卷谈论食疗，叙述瓜、果、粮、蔬各自的特性及治疗作用。第七卷则记述五脏受病之因、辨病之法和免病之诀。第八卷记载了许多养生保健的经验方。

书中从气功导引、起居饮食、四时调摄、五脏受病等方面阐述养生的方法和禁忌知要。气功导引分内、外功，内功强调静坐运气，保养精气神；外功主张推拿按摩五官、腰背、四肢。书中记载的一些养生方法，如鸣天鼓、叩齿咽津、八段锦等至今仍广受推崇。本书还录有许多歌诀，如十二段锦歌、六字真言、擦面美颜诀等，这些歌诀言简意赅，朗朗上口，易于记忆，其后还配有注释，以帮助读者理解。

本书语言精简明晰，又配有歌诀和插图，告诫后世养生者应"颐性全真"，方可祛除疾病，延年益寿，如有不当之处，恳请读者批评指正。

编者

2017 年 3 月

# 序

纂述家至今日称极盛矣，缃帙<sup>①</sup>缥囊<sup>②</sup>，鸿纤<sup>③</sup>毕备。凡其美而传，传而久，莫不以适于用之为贵。若如养生家言，意主颐<sup>④</sup>性全真，粗之则却疾延年，使人人各得安其寿命，以返一世于隆古<sup>⑤</sup>，宜为有用之尤者。顾其书至今实少善本<sup>⑥</sup>，绪言流传，若<sup>⑦</sup>存若昧，论者未涉其涯，辄<sup>⑧</sup>概屏为外道，以为山林独善之士或有取焉，而不知为日用饮食间尽人可行。斯岂非纂录者犹有缺陷，而仁寿之化终当有待而兴者欤。

## 注

①缃帙（xiāng zhì）：浅黄色书套。亦泛指书籍、
书卷。

②缥囊（piǎo náng）：用淡青色的丝绸制成的书囊。
亦借指书卷。

③鸿纤：大小，这里指各式各样的（书籍）。

④颐：修养，保养。

⑤隆古：远古。

⑥善本：最早是指校勘严密，刻印精美的古籍，后
含义渐广，包括刻印较早、流传较少的各类古籍。

⑦若：或者。

⑧辄：往往。

## 注

　　不佞①自庚寅秋祝釐来京，次年为慈宁大
庆，得与匦海胪欢，共依日月之光，时则豫
章②徐鸣峰先生以补选铨曹③同集，叙其始，则
与不佞尝并时典校，有寅僚④之谊，过从⑤加密。
鸣峰盖⑥今之有道而文者，平生著作等身⑦，所
刻诗法吏治⑧二书行海内，于学无所不通，而
雅性渊冲，寓物而不留物，独于不佞情亲，其
蕴致已可概见。

**注**

①不佞（nìng）：指没有才能，旧时用来谦称自己。

②豫章：古代区划名称，现在约在江西附近。

③铨曹（quán cáo）：主管选拔官员的部门。

④寅僚（yín liáo）：同僚。

⑤过从：相交往的朋友。

⑥盖：胜过。

⑦等身：形容著作极多，叠起来能跟作者的身高相等。

⑧吏治：旧时指地方官吏的作风和治绩。


尝为题其小照四幅，颜以"齿德①同增"四字，且约他年更续佳话。已而出所辑《寿世传真》一册见视，嘱为叙其首简②。余既喜其成书之意与鄙③见适合，又嘉鸣峰真能以寿身者寿世，其言尤信而有征也。尝谓著书者意苟近名，往往猎取艰深，示不可测，况如服食炼养家谈空说渺，象罔④都迷，学者置而不视，河汉⑤其言，诚无足怪。今视此编⑥，于颐性全真之道，却疾延年之方，莫不撷其菁华，导以窾要，明白简易，本末具该，不出布帛菽粟⑦之谈，尽力日用行习之事。

**注**

①齿德：指年龄与德行。

②首简：序言。

③鄙：谦辞，用于自称。

④象罔：《庄子》寓言中的人物。含无心、无形迹之意。

⑤河汉：比喻浮夸而不可信的空话，转指不相信或忽视（某人的话）。

⑥编：文章。

⑦布帛菽粟：帛，丝织品。菽，豆类。粟，小米，泛指粮食。指生活必需品。比喻极平常而又不可缺少的东西。

学人诚手一编，知所从来，将人不必仕与隐①，地不必喧与寂，随时随处尽可用功，进之可观九仞②之成，退亦不失一溉③之效，洵④乎度世⑤之津梁⑥，卫生之宝筏⑦也。

**注**

①仕与隐：做官与不做官。

②九仞：六十三尺。常用以形容极高或极深。

③一溉：一次灌溉。亦比喻用力不多。

④洵：实在是。

⑤度世：出世。

⑥津梁：渡口和桥梁，比喻能起引导、过渡作用的
　事物或方法。
⑦宝筏：佛教语。比喻引导众生渡过苦海到达彼岸
　的佛法。



　　鸣峰在学校为贤师儒①，在民社为良父母，
今以需次暇晷②不忘著述，一本其念切民物、
善与人同之愿，以助成我国家太和翔洽之休③，
将人游化宇，世尽春台，有不在兹者乎。爰不
辞衰朽钝毫，欣然泚笔而为之序。
　　**乾隆三十有六年辛卯岁嘉平月钦赐国子
监司业香山老人年家旧寅弟王世芳拜撰时年
一百一十三岁**

注

①儒：指读书人。
②暇晷（xiá guǐ）：指空闲的时日。
③休：吉祥，喜庆。

# 总述

程伊芳①川曰：世间有三件事可由人力。为国而至于祈天永命，养形而至于却疾②延年，为学而至于希贤希圣③。此三事分明人力可以胜造化，只是人不为耳。

**注**

①程伊芳：字宗衡，新安人，朝廷里的医官，著有《医林史传》《外传》《拾遗》。

②却疾：却，去，去掉。这里指祛除疾病。

③希贤希圣：仰慕圣贤。

《真言》曰：凡人①着不得力②者，身外之事也；着得力者，身内之事也。着力身外之事都无益，着力身内，可以延年益寿。

又曰：虽少年致损，气弱体枯③，若晚年得悟，防患补益，血气有增，而神足身泰④，可以永年。

**注**

① 凡人：平常人。
② 着不得力：用不上力。
③ 气弱体枯：精气亏虚，身体瘦弱。
④ 神足身泰：精神饱满，身体健康。

又曰：人年纪一老，则百节①病生，四体②皆患③，即此便是苦狱。平日若肯趁早用功，便可免此苦狱，奈何明知而故不为，岂不可悯！

又曰：分明一条好活路，如何不走。

**注**

① 百节：多个关节。
② 四体：四肢。
③ 患：疾病。

又曰：悠悠①肉食之徒，日为五贼②所扰，茫不知怪。天下不乏自命大丈夫，逞③掀天揭地之才，侈④高谈阔论之技，事事⑤伊芳周，言言⑥孔孟，究之大限一到，不免与微尘片影消灭无踪，可悲可叹！

**注**

①悠悠：众多的样子。

②五贼：五害，这里指酸、苦、甘、辛、咸，五味。

③逞：炫耀，卖弄。

④侈：夸大，过分。

⑤事事：做事。

⑥言言：说话。

愚谓箕畴①五福，以寿为先，以考终正命②为全。方幸生逢盛世，翔洽太和③，海宇承平④，室家保聚⑤，既无扰攘忧戚之患，又无凶荒夭扎之伤，宜化日舒长⑥，咸登寿域⑦，而犹或不尽其天年，谓非自戕厥生⑧，罔识卫生⑨之术欤。此修养⑩所宜亟讲也。

①箕畴：指《书·洪范》之"九畴"。九畴指传说
　中天帝赐给禹治理天下的九类大法，即《洛书》。

②考终正命：自然死亡。

③翔洽太和：天下太平。

④海宇承平：天下太平。

⑤室家保聚：家庭和睦。

⑥化日舒长：白天很长。意指长久的太平盛世。

⑦咸登寿域：都能达到寿命的尽头。

⑧自戕厥生：自己伤害自己的性命。

⑨卫生：养生保健。

⑩修养：养生保健。

# 目录

# 修养宜行外功第一

寿世传真

读经典　学养生

SHOU
SHI
CHUAN
ZHEN

修养宜行外功第一

外功有按摩导引之决[1]，所以行血气，利关节，辟邪外干[2]，使恶气[3]不得入吾身中耳。《语》云：户枢不蠹，流水不腐[4]。人之形体，亦犹是也，故延年却病，以按摩导引为先。此决传自先哲，至平至易[5]，非他奇技异术可比。即大圣所谓血气有未定、方刚、既衰之时[6]，此则预保其衰[7]，固守身之要道之。

注

①决：诀窍，高明的方法。

②辟邪外干：祛除在外的邪气。

寿世传真

读经典学养生

SHOU
SHI
CHUAN
ZHEN

③恶气：邪气。

④户枢不蠹（dù），流水不腐：出自《吕氏春秋》，意指常流的水不发臭，常转的门轴不遭虫蛀。比喻经常运动，生命力才能持久，才有旺盛的活力。

⑤至平至易：指按摩导引的方法很平常，很容易学。

⑥血气有未定、方刚、既衰之时：意指人的气血不稳定，有气血充盛和气血虚弱的时候。这里指少年、中年、老年。

⑦预保其衰：延缓衰老。

是道人人皆能，而人不皆行者，其故有三：一则倚恃壮盛，疾苦未形，虽劝导之，而亦不肯行；一则经营头班①，竭蹶不遑②，虽欣慕之，而又不遑③行；一则体气衰惫，举动维艰，虽追悔之，而卒不及行。人果坚其信心，策其懈志，一④意念及此身宜保，防患未然，如饥之需食，寒之求衣，未有不得饱且暖者。即谓年寿各有定数，亦当图⑤正命考终⑥，与其疾痛临身，呻吟卧榻，寄命于庸瞽⑦之疗治，乞灵于冥漠⑧之祈祷，何如平时习片刻之勤，免后日受诸般之苦。

①经营头班：经营意为往来，头班是州县衙门里为首的差役。

②竭蹶不遑：竭蹶原指走路艰难，遑意为闲暇。这里形容人们疲于奔命而没有时间的样子。

③遐：长久。

④一：统一。

⑤图：谋取。

⑥正命考终：自然寿命，年老而终

⑦庸瞽（gǔ）：瞽原指盲人，这里庸瞽是指庸医。

⑧冥漠：玄妙莫测。

　　今为就五官四体，各有所宜按摩者，列之为分行外功。又取前人所定，循序俾①得周到者，统之为合行外功。分合虽殊，按摩无异，任人②审择而从事焉。此固随人随地可行，亦实时即刻见效。愚年齿届衰③，而体气仍旺，耳听、目视、手持、足行④，且有壮盛侪辈所弗及者，诚得之于已，信而有征。故不惮颖舌焦敝⑤，蕲⑥以寿身者寿世，愿无负此婆心焉，则幸矣。

注

①俾：使。

②任人：有能力的人。

③年齿届衰：齿是年龄的意思。这里指年龄增大，
　　日渐衰老。

④耳听、目视、手持、足行：听觉灵敏，视觉敏锐，
　　握持有力，步伐矫健。

⑤颖舌焦敝：能言善辩的人诋毁我。

⑥蕲：通"祈"，祈求。

修养宜行外功第一

# 分行外功诀

读经典 学养生

寿世传真

SHOU
SHI
CHUAN
ZHEN

## 心功

一①凡行功②时，先必冥心③，息思虑，绝情欲，以固守神气。

## 身功

一盘足坐时，宜以一足跟抵住肾囊④根下，令精气无漏。

寿世传真

读经典 学养生

SHOU
SHI
CHUAN
ZHEN

修养宜行外功第一

一垂足平坐，膝不可低，肾子⑤不可着⑥在所坐处。（凡言平坐、高坐，皆坐于榻与椅上。）

一凡行功毕起身，宜缓缓舒放手足，不可急起。

一凡坐，宜平直其身，竖起脊梁，不可东倚西靠。

## 注

①一：句首副词。

②行功：练功。

③冥心：泯灭俗念，使心境宁静。

④肾囊：阴囊。

⑤肾子：睾丸。

⑥着：附着。

## 首功

一两手掩两耳，即以第二指压中指上，用第二指弹脑后两骨①作响声，谓之鸣天鼓。（治风池邪气。）

一两手扭项，左右反顾②，肩膊随转。

一两手相叉抱项后，面仰视，使手与项争力。（去肩痛、目昏。争力者，手着力要向前，项着力要向后。）

## 面功

一用两手掌相摩使热，随向面上高低处揩③之，皆要周到。再以口中津唾于手掌，擦热，揩面上多次。（凡用两手摩热时，宜闭口鼻气摩之。能令皱斑不生，容颜光泽。）

## 耳功

一耳宜按抑④左右多数。谓以两手按两耳叶⑤，一上一下摩擦之。（所谓营治⑥城郭⑦，使人听彻⑧。）

一平坐，伸一足，屈一足，横伸两手，直竖两掌，向前若推门状，扭头项左右顾，各七次。（除⑨耳鸣。）

注

①两骨：枕骨。

②反顾：回头看。

③揩（kāi）：擦。这里指把脸的高低处都要擦到。

④按抑：按压。

⑤耳叶：耳轮。

⑥营治：原意为料理、治理，这里是治疗的意思。

⑦城郭：耳廓。

⑧彻：透彻。这里指（听得）清楚。

⑨除：去除。这里是治疗的意思。

## 目功

一每睡醒且勿开目，用两大指背相合擦热，揩目十四次，仍闭住，暗①轮转眼珠，左右七次，紧闭少时②，忽大睁开。（能保炼神光，永无目疾。）

一用两大指背曲骨③重按两眉旁小穴④，三九二十七遍；又以手摩两目颧上，及旋转耳⑤，行三十遍；又以手逆⑥乘⑦额，从两眉中间始，以入脑后发际中，二十七遍，仍须咽津无数。（治耳目，能清明。）

一用手按目之近鼻两⑧眦（即眼角），闭气按之，气通即止。（常行之，能洞观。）

一跪坐，以两手据地⑨，回头用力视后面五次，谓之虎视。（除胸臆风邪。）

寿读经典

世学养生

传

真

SHOU
SHI
CHUAN
ZHEN

修养宜行外功第一

注

①暗：与"明"相对，这里指闭着眼。

②少（shǎo）时：一会儿。

③大指背曲骨：大指指骨桡侧缘。

④小穴：攒足穴。

⑤旋转耳：围着耳朵旋转。

⑥逆：预先。

⑦乘：骑，坐。这里指放在（眉毛）上。

⑧两：两侧。

⑨两手据地：用手按着地，席地而坐。

口功

一凡行功时必闭口。

一口中焦干，口苦舌涩，咽下无津，或吞唾喉痛，不能进食，乃热也，宜大张口，呵气十数次，鸣天鼓九次，以舌搅口内，咽津，复

读经典 学养生

寿世传真

SHOU
SHI
CHUAN
ZHEN

修养宜行外功第一

呵，复咽，候口中清水生，即热退脏凉。又或口中津液冷淡无味，心中汪汪<sup>①</sup>，乃冷也，宜吹气温之，候口有味，即冷退脏暖。

一每早，口中微微呵出浊气，随以鼻吸清气咽之。

一凡睡时，宜闭口，使真元不出，邪气不入。

## 舌功

一舌抵上颚，津液自生，再搅满口，鼓<sup>②</sup>漱三十六次，作三<sup>③</sup>口吞之，要汩汩有声在喉。（谓之漱咽，灌溉五脏，可常行之。）

## 齿功

一叩齿三十六遍，以集身神。

一凡小便时，闭口紧切<sup>④</sup>牙齿。（除齿痛。）

寿世传真

读经典 学养生

SHOU
SHI
CHUAN
ZHEN

修养宜行外功第一

## 注

①汪汪：水液聚集充盈、深广的样子。

②鼓：鼓腮。

③三：多次。

④切：密合，贴近。

# 鼻功

（《内经》曰：阳气和利①，满于心，出于鼻，故为喷嚏。）

一两手大指背擦热，揩鼻上三十六次。（能润肺。）

一视鼻端白②，数③出入息。

一每晚覆身卧④，暂去枕，从脖湾反竖⑤，两足向上，以鼻吸纳清气四回，又以鼻出气四回，气出极力，后令微气再入鼻中收纳。（能除身热、背痛。）

## 注

①和利：温和，安利。这里指（阳气）充溢的样子。

②鼻端白：鼻尖呼出的白气。

③数（shǔ）：一个一个地计算。

11

# 手功

一两手相叉，虚空托天，按顶①二十四次。（除胸膈邪。）

一两手一直伸向前，一屈回向后，如挽五力②弓状。（除臂腋邪。）

一两手相捉③为拳，捶臂膊及腰腿，又反手捶背上，各三十六。

一两手握固，屈肘向后，顿掣④七次。颈随肘向左右扭。（治身上火丹疙瘩。）

一两手作拳，用力左右各虚筑⑤七次。（除心胸风邪。）

## 注

①顶：头顶。

②五力：佛教用语，指信力、进力、念力、定力、慧力。

③捉：握。

④顿掣：一次又一次牵拉。

⑤筑：击，捣。

## 足功

一正坐伸足，低头如礼拜状，以两手用力扳足心十二次。

一高坐垂足，将两足跟相对，扭向外，复将两足尖相对，扭向内，各二十四遍。（除两脚风气。）

一盘坐，以一手捉脚指，以一手揩脚心涌泉穴（湿风皆从此入）至热止，后以脚指略动转数次。（除湿气，健步。）

一两手向后据床，跪坐一足，将一足用力伸缩，各七次，左右交换。（治股①膝肿。）

一徐行，手握固。左足前踏，左手摆向前，右手摆向后；右足前踏，手右前左后。（除两肩邪。）

## 肩功

一两肩连手左右轮转，为转辘轳②，各二十四次。（先左转，后右转，曰单辘轳；左

寿世传真　读经典 学养生

SHOU
SHI
CHUAN
ZHEN

修养宜行外功第一

一调息神思，以左手擦脐十四遍，右手亦然，复以两手如数擦胁③、连肩摆摇七次，咽气纳于丹田，握固两手，屈足侧卧。（能免梦遗。）

读经典 学养生 寿世传真

SHOU
SHI
CHUAN
ZHEN

修养宜行外功第一

**注**

①股：大腿。
②转辘轳（lù lu）：辘轳是安在井上绞起汲水斗的器具。这里指以肩为轴，手臂作前后环形摆动，动作形似在转动井上的辘轳。
③胁：两肋。

## 背功

一两手据床，缩身曲背，拱脊向上，十三举。（除心肝邪。）

## 腹功

一两手摩腹，移行百步。（除食滞。）

一闭息存想①丹田火，自下而上，遍烧其体。（即十二段锦所行。）

## 腰功

一两手握固，拄两胁肋，摆摇两肩二十四次。（除腰肋痛。）

一两手擦热，以鼻吸清气，徐徐从鼻放出，用两热手擦精门（即背下腰软处）。

## 肾功

一用一手兜裹②外肾两子③，一手擦脐下丹田，左右换手，各八十一遍。诀云：一擦一兜，左右换手，九九之数，真阳不走。

一临睡时坐于床，垂足，解衣，闭息，舌抵上颚，目视顶门，提缩谷道如忍大便状，两手摩擦两肾穴④，各一百二十。（能生精，固阳，除腰疼，稀⑤小便。）

寿世传真

读经典 学养生

SHOU
SHI
CHUAN
ZHEN

修养宜行外功第一

以上分列各条，随⑥人何处有患，即择何条行之，或预防于无患之先者，亦随人择取焉。

注

①闭息存想：闭息，有意地屏住气，暂时抑制呼吸。存想，又称观想，是在入静的条件下，运用自我暗示设想某种形象。

②兜裹：包围。

③外肾两子：阴囊。

④肾穴：命门。

⑤稀：使（小便）清稀。

⑥随：听凭，任随。

闭目冥心坐，握固静思神；

叩齿三十六，两手抱昆仑；

左右鸣天鼓，二十四度闻；

微摆撼天柱，赤龙搅水津；

鼓漱三十六，神水满口匀；

一口分三咽，龙行虎自奔；

闭气搓手热，背摩后精门；

尽此一口气，想火烧脐轮；

左右辘轳转，两脚放舒伸；

叉手双虚托，低头攀足频；

寿世传真

读经典 学养生

SHOU
SHI
CHUAN
ZHEN

修养宜行外功第一

以候神水至，再漱再吞津；

如此三度毕，神水九次吞；

咽下汨汨响，百脉自调匀；

河车搬运毕，想发火烧身；

旧名八段锦，子后午前行；

勤行无间断，万病化为尘。

以上系通身合总行之，要根据次序，不可缺，不可乱。先要记熟此歌，再详看后图及每图详注各诀，自无差错。

# 十二段锦第一图

**闭目冥心坐，握固静思神**

　　盘腿而坐，紧闭两目，冥[1]忘心中杂念。凡坐，要竖起脊梁。腰不可软弱，身不可倚靠。握固者，握手牢固，所以闭关[2]却邪也。静思者，静息思虑而存神也。

第一图　闭目冥心坐　握固静思神

# 十二段锦第二图

**叩齿三十六，两手抱昆仑**

　　上下牙齿相叩作响，宜三十六声。叩齿以

读经典 学养生

寿世传真

SHOU
SHI
CHUAN
ZHEN

修养宜行外功第一

集身内之神，使不散也。昆仑即头。以两手十指相叉，抱住后项，即用两手掌紧掩耳门③，暗记鼻息④九次，微微呼吸，不宜耳闻有声。

第二图　叩齿三十六　两手抱昆仑

## 十二段锦第三图

### 左右鸣天鼓，二十四度闻

　　计算鼻息出入各九次毕，即放所叉之手，移两手掌掩耳，以第二指迭在中指上，作力⑤放下第二指，重弹脑后，要如击鼓之声。左右各二十四度，两手同弹，一先一后，共四十八声。仍收手握固。

20

①冥：深入地，静默地。

②闭关：封闭关口，比喻不与外界交往。这里指独
居一处，专心修炼。

③耳门：耳屏。

④息：呼吸时进出的气。

⑤作力：出力，使力。

寿世传真

读经典 学养生

SHOU
SHI
CHUAN
ZHEN

修养宜行外功第一

第三图　左右鸣天鼓　二十四度闻

## 十二段锦第四图

### 微摆撼天柱

天柱即后颈。低头，扭颈向左右侧视，肩
亦随头左右摇摆，各二十四次。

寿世传真

读经典 学养生

SHOU
SHI
CHUAN
ZHEN

修养宜行外功第一

第四图　微摆撼天柱

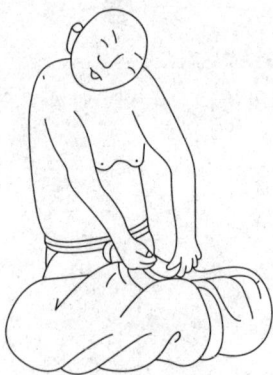

# 十二段锦第五图

**赤龙搅水津，鼓漱 三十六，神水满口匀， 一口分 三咽，龙行虎自奔**

赤龙即舌。以舌顶上颚，又搅满口内上下两旁，使水津自生。鼓漱于口中，三十六次。神水即津液。分作三次，要汩汩有声吞下，心暗想目暗看，所吞津液，直送到脐下丹田。龙即津，虎即气。津下去，气自随之。

读经典学养生

寿世传真

SHOU
SHI
CHUAN
ZHEN

修养宜行外功第一

第五图　赤龙搅水津　鼓漱三十六　神水满口匀
一口分三咽　龙行虎自奔

# 十二段锦第六图

## 闭气搓手热，背摩后精门

以鼻吸气，闭之，用两掌相搓擦极热，急分两手磨①后腰上两边，一面徐徐放气从鼻出。精门，即后腰两边软处。以两热手磨三十六遍，仍收手握固。

**注**

①磨：通"摩"，后腰。

23

寿世传真

读经典 学养生

SHOU
SHI
CHUAN
ZHEN

修养宜行外功第一

第六图 闭气搓手热 背摩后精门

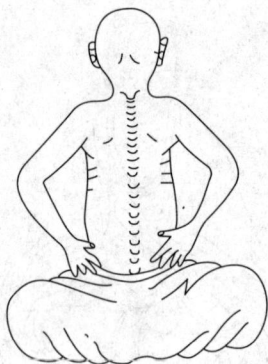

# 十二段锦第七图

## 尽此一口气，想火烧脐轮

闭口鼻之气，以心暗想，运心头之火下烧丹田，觉似有热，仍放气从鼻出。脐轮，即脐下丹田。

第七图 尽此一口气 想火烧脐轮

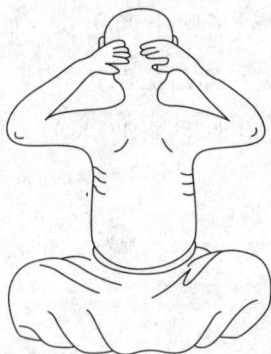

# 十二段锦第八图

**左右辘轳转**

　　曲弯①两手，先以左手连肩圆转②三十六次，如绞车一般，右手亦如之。此单转辘轳法。

寿世传真　读经典学养生

SHOU
SHI
CHUAN
ZHEN

修养宜行外功第一

**注**

①曲弯：使（两手）弯曲。

②圆转：旋转。

③盘两脚：前文中盘腿而坐的样子。

④安：安置，安放。

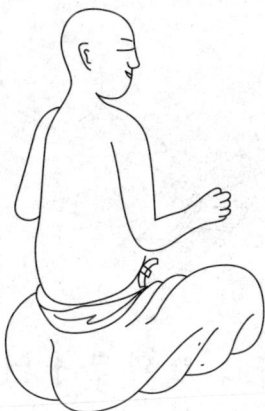

第八图　左右辘轳转

# 十二段锦第九图

**两脚放舒伸，叉手双虚托**

　　放所盘两脚③，平伸向前。两手指相叉，反掌向上，先安④所叉之手于头顶，作力上托，要如重石在手托上，腰身俱着力上耸。手托上一次，又放下，安手头顶，又托上。共九次。

寿世传真

读经典 学养生

SHOU
SHI
CHUAN
ZHEN

修养宜行外功第一

第九图　两脚放舒伸　叉手双虚托

# 十二段锦第十图

**低头攀足频**

　　以两手向所伸两脚底作力扳之，头低如礼

拜状，十二次。仍收手握固，收足盘坐。

第十图　低头攀足频

# 十二段锦第十一图

**以候神水至，再漱再吞律，如此三度毕，神水九次吞，咽下汩汩响，百脉自调匀**

　　再用舌搅口内，以候神水满口，再①鼓漱三十六，连前一度，此再二度，乃共三度毕。前一度作三次吞，此二度作六次吞，乃共九次吞。如前咽下，要汩汩响声。咽津三度，百脉自周遍调匀。

27

寿世传真

读经典学养生

SHOU
SHI
CHUAN
ZHEN

修养宜行外功第一

第十一图 以候神水至 再漱再吞律 如此三度毕

神水九次吞 咽下汩汩响 百脉自调匀

## 十二段锦第十二图

**河车搬运毕，想发火烧身**

心想脐下丹田中似有热气如火，闭气如忍大便状，将热气运至谷道（即大便处）升上腰间、背脊、后颈、脑后、头顶止，又闭气，从额上、两太阳[②]、耳根前、两面颊，降至喉下、心窝、肚脐下丹田止。想[③]似发火烧，一身皆热。

①再：两次。

②太阳：太阳穴。

③想：想象。

第十二图　河车搬运毕　想发火烧身

# 八段杂锦歌

热擦涂津①美面容，掌推头摆耳无声；

攀弓两手全除战②，捶打酸疼总不逢；

摩热脚心能健步，掣抽是免转筋③功；

拱背治风名虎视，呵呼④五脏病都空。

### 注

①津：舌上津液。

②战：通"颤"，发抖。

③转筋：病证名，指肢体筋脉牵掣拘挛。

④呵呼：指六字治脏诀。

# 擦面美颜诀

此诀无论每日早起及日间偶睡，凡睡醒之时，且慢开眼，先将两手大指背相合摩擦极热，随左右手各揩左右眼皮上，各九数，仍闭目，暗用眼珠轮转，向左九遍，又向右九遍，仍紧闭片时，即大睁开，明①用眼珠向左右九转。（大除风热，永无目疾。）

随后又将大指背磨擦极热，即以两指背趁热一上一下揩鼻上三十六遍。（能润肺。）

随后又将两大指背弯骨按两眼外角边小穴②中，各三十六遍，又按两眼之近鼻两角之

寿世传真

读经典 学养生

SHOU
SHI
CHUAN
ZHEN

修养宜行外功第一

中如数。（大能明目洞视。）

随后合两掌，磨擦极热，即以热掌自上而下顺揩面上九十数，要满面高低处俱到。再舔舌上津液于掌，仍磨擦稍热，复擦面上，九十次。（能光泽容颜，不致黑皱。）

此诀极简易，但于睡醒时稍迟下床，便可行之。起来觉神清气爽，即妙处也。久行，各效俱见。

①明：与"暗"相对，这里指睁着眼睛。
②小穴：瞳子髎。

# 六字治脏诀

### 修养宜行外功第一

寿世传真

读经典 学养生

SHOU
SHI
CHUAN
ZHEN

修养宜行外功第一

　　每日自子时①以后，午时②以前，静坐叩齿咽津，即根据法念"呵、嘘、呼、呬、吹、嘻"六字，以去五脏之病。宜口中轻念，耳不闻声。每念一字，要尽一口气久，不可出字。六字惟嘘嘻易混，嘘字气从唇出，嘻字气从舌出。

### 注

①子时：晚上二十三点到凌晨一点。
②午时：中文十一点到十三点。

寿世传真

读经典 学养生

SHOU
SHI
CHUAN
ZHEN

修养宜行外功第一

肝用嘘时目睁睛（念嘘字要大睁两目）

肺宜呬处手双擎（呬字要两手如擎①物）

心呵顶上连叉手（念呵字要叉掌按顶）

肾吹抱取膝头平（吹字要两手抱膝坐）

脾病呼时须撮②口（念呼字要撮口）

三焦有热卧嘻宁（嘻字要仰面身卧）

## 注

①擎：向上托，举。

②撮（zuō）：聚缩嘴唇吸取。

## 六字行功应时候歌

春嘘明目木扶①肝

夏日呵心火自闲②

秋呬定收金肺润

冬吹水旺坎宫③安

三焦长夏嘻除热

四季呼脾土化餐

切忌出声闻两耳

其功真胜保神丹

①扶：帮助，援助。这里指木使肝旺。

②闲：安静，清静。

③坎宫：九宫之一，古代术数家指居北的方位。于
时为冬，于五行为水。这里指肾。

寿世传真

读经典学养生

SHOU
SHI
CHUAN
ZHEN

# 六字行功各效验歌

## 修养宜行外功第一

嘘属肝兮外主目，赤翳[①]昏蒙泪如哭；
只因肝火上来攻，嘘而治之效最速。
呵属心兮外主舌，口中干苦心烦热；
量疾深浅以呵之，喉舌口疮并消灭。
呬属肺兮外皮毛，伤风咳嗽痰如胶；
鼻中流涕兼寒热，以呬治之医不劳。
吹属肾兮外主耳，腰膝酸疼阳道痿；
微微吐气以吹之，不用求方需药理。
呼属脾兮主中土，胸膛气胀腹如鼓；
四肢滞闷[②]肠泻多，呼而治之复如故。

寿世传真

读经典 学养生

SHOU
SHI
CHUAN
ZHEN

修养宜行外功第一

嘻属三焦治壅塞，三焦通畅除积热；

但须六次以嘻之，此效常行容易得。

以上六字，因疾行之，疾愈即止。某处有病，以某字行之，不必俱行，恐伤无病之脏。能依法行之，实有奇效，故医书道经并载之。

**注**

①赤瞖：目睛红赤，相当于现在的急性结膜炎。

②滞闷：（四肢）胀满，血液流通不畅。

# 修养宜内联功第二

按摩导引之功既行之于外矣，血脉俱已流畅，肢体无不坚强，再能调和气息，运而使之降于气海，升于泥丸①，则气和而神静，水火有既济之功，所谓精根根而运转，气默默而徘徊，神混混②而往来，心澄澄③而不动，方是全修，亦是真养。其他玄门服气之术，非有真传口授，毫发之差，无益有损。今择其无损有益，随人随时随地皆可行者，惟调息及黄河逆流二诀，功简而易，效神而奇，止在息心静气，自堪④却疾延年。爰⑤以四语诀之曰：气是延生药，心为使气神，能从调息法，便是永年人。

寿世传真

读经典学养生

SHOU
SHI
CHUAN
ZHEN

修养宜内联功第二

**注**

①泥丸：道教语，指脑神。

②混混：用以形容连续不断。

③澄澄：清澈明洁貌。

④堪：能，可以。

⑤爰：于是。

# 内功诀

此诀，每日子午二时，先须心静神闲，盘足坐定，宽解衣带，平直其身，两手握固，闭目合口，精专一念，两目内视，叩齿三十六声，以舌抵上腭，待津生时，鼓漱满口，汩声咽下，以目内视，直送脐下一寸二分丹田之中。

再以心想目视丹田之中仿佛如有热气，轻轻如忍大便之状，将热气运至尾闾①，从尾闾升至肾间，从夹脊、双关升至天柱，从玉枕升至泥丸，少停，即以舌抵上腭，复从神庭降下鹊桥②、重楼③、绛宫④、脐轮⑤、气穴、丹田。

注

①尾闾：长强穴。

②鹊桥：指舌。

③重楼：指气管。

④绛宫：指心。

⑤脐轮：腹部中央肚脐。

寿 读经典
世 学养生
传 真

SHOU.
SHI
CHUAN
ZHEN

修养宜内联功第二

# 三 修养宜宝精宝气宝神第

高氏云：吾人一身所恃[1]，精、气、神具足，足则形生，失则形死，故修养之术保全三者，可以延年，是以谓之三宝。夫人一身一家之事应接无穷，心役形劳，不知稍节，恃年力之壮，任意不以为困[2]，何知衰惫之因，死亡之速，由此而致，令人形槁体枯，专求草根木叶之药物以活吾命，宁[3]足[4]恃哉。故当于每日起居逐时戒谨，乘间[5]照常行动[6]，则身无过损，而气可日充，精可日蓄，神可日养，疾可自此却，年可自此延矣。

①恃：依靠，依仗，凭借。

②困：疲乏。

③宁：难道。

④足：可以。

⑤乘间：利用机会，趁空子。

⑥行动：活动。这里指练功。

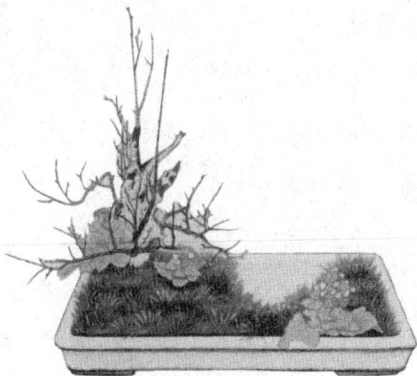

寿
世
传
真

读经典 学养生

SHOU
SHI
CHUAN
ZHEN

修养宜宝精宝气宝神第三

寿世传真

读经典 学养生

SHOU
SHI
CHUAN
ZHEN

## 总论精气神

　　精者，滋①于身者也；气者，运于身者也；神者，主宰一身者也。如耳目手足之能运者，气也，使之因事而运者，神也；运之或②健或倦者，精也。

　　耳乃精窍，目乃神窍，口鼻乃气窍。故耳之闭塞，精病可知；目之昏蒙，神病可知；口之吼喘③，气病可知。

　　元精，乃先天真精，非交媾④之精。元气，乃虚无空气，非呼吸之气。元神，乃本来灵神，非思虑之神。所谓元精、元气、元神，由未生出胎以前而具，俱先天也。所谓交媾之精、呼吸之气、思虑之神，乃既生出胎之后而用，俱后天也。

## 注

① 滋：生出，生长。
② 或：有的人。
③ 吼喘：相当于现在的喘息性支气管炎。
④ 媾（gòu）：交合。

人身精实则气充，气充则神旺，此相因而永其生者也。精虚则气竭，气竭则神逝，此相因而速其死者也。

孙思邈云：怒甚偏伤气，思多太损神，神疲精渐敝①，形弱病相萦②。

太益曰：存神可以固元气，令病不生。若终日挠混③，则神驰于外，气散于内，营卫昏乱，众疾相攻矣。

又曰：神能使耳目手足视听持行，气即随而运之，故宁神即养气保精也。人之身如国。神如君，君良则国治；气如民，民聚则国强；精如财，财蓄则国富。

寿世传真

读经典　学养生

SHOU
SHI
CHUAN
ZHEN

修养宜宝精宝气宝神第三

注

①敝：衰败，衰弱。

②萦：缭绕，萦绕。

③挠混：挠，弱；混，胡乱。这里指沮丧混沌。

寿世传真

读经典 学养生

SHOU
SHI
CHUAN
ZHEN

精 | 修养宜宝精宝气宝神第三

人身液化为血，血化为精，精化为髓。如饮食水谷入胃，由脾磨化成液，生血以充精。故必借谷气以培后天之精，人乃得生也。

精者，神倚之如鱼倚水，盖鱼借水养，神借精滋也。又，精者，气托①之如雾托渊②，盖渊浅则雾薄，精衰则气弱也。

后天之精，以至阴之液，本于各脏之生化，不过藏之于肾，原非独出于肾也。

无摇③尔精，乃可长生。无摇者，守之固也。人肝精不固，目眩无光；肺精不固，皮

读经典 学养生

寿世传真

SHOU
SHI
CHUAN
ZHEN

修养宜宝精宝气宝神第三

肉消瘦；肾精不固，神气减散；脾精不固，齿发衰白。疾病随生，死亡将至，哀哉。

注

①托：依赖。

②渊：深水，潭。

③无摇：不动摇。这里指（精气）固守不动摇的样子。

心牵于事，火动于中；心火既动，真精必摇。

《参赞书》曰：人至中年以后，阳气渐弱。觉阳事犹盛而常举，必慎而抑之，不可纵情过度。一度①不泄，一度火灭；一度火灭，一度添油②。若不强制，则是膏火③将残，更去其油。故《经》语云：急④守精室勿妄泄，闭而宝之可长活。

凡房室之事，火随欲起，煽动精室，虽不泄而精渐离位，若将出而复忍之，则精停蓄，必化脓血成毒。

寿世传真

读经典　学养生

SHOU
SHI
CHUAN
ZHEN

修养宜宝精宝气宝神第三

注

①一度：有过一次。

②添油：延续寿命。

③膏火：灯火。

④急：紧。

寿世传真

读经典　学养生

SHOU
SHI
CHUAN
ZHEN

气有禀①于天地者，有受于父母者，禀天地之气谓之真气，受父母之气谓之凡气。

真气者，人才②成胎，便禀天地之气，与人身之气以类感类，合化以成人身。气有清浊厚薄，人因之有强弱刚柔。

凡气者，人初受形，因父精母血蕴结而成胎，自有温暖之气，至十月气足，然后降生。一点凡气，藏于下丹田气穴，一身之气，呼吸皆出于此。

①禀：禀赋，秉承。

②才：刚刚。

先天元气为阳气，后天谷气为阴气。常使元气内运，阳气若壮，则阴气自消，阳壮阴衰，百病不生。

简莱曰：人若贪睡，则神离于气，气无所主，奔溃四溢。

食气①胜元气者多肥，故人肥甚者多不寿。人借水谷之气以养身。水谷之清气，行于脉中者，为营气；水谷之浊气，行于脉外者，为卫气。营气利②关节，卫气充③皮肤。

注

①食气：服食空气或芝兰之气。

②利：通利。

③充：充养。

读经典 学养生
寿世传真
SHOU
SHI
CHUAN
ZHEN

修养宜宝精宝气宝神第三

寿世传真

读经典 学养生

SHOU
SHI
CHUAN
ZHEN

## 神 | 宝气宝神第三 修养宜宝精

神者，人之未生，父母媾精，其兆①始见一点，初凝一念②是也。始见一点，即所以成形；初交一念，即所以生神。

神为气之子，如有气以成形，乃有神之知觉运动。指始有身而言也。

神为气之帅，如神行即气行，神住③即气住。指既有身而言也。

神静则心和，神躁则心荡，心荡则形伤。欲全其形，先在理神，恬和④养神以安于内，清虚栖心⑤不诱于外。

①兆：事物发生前的征候。

②一念：动念间，一个念头。

③住：停止。

④恬和：安静平和。

⑤栖心：寄心。

《代疑编》云：身如屋，神如主人，主人亡，则屋无与守，旷①而将倾矣。身如舟，神如舟子②，舟子去，则舟不能行，空而随敝③矣。世人忙忙碌碌，只奉养肉身，而关系至重之神反撇却④罔顾⑤，犹之舍舟子而操舟，弃主人而奉屋，岂不危哉。

昔康仲俊年八十六，极强壮，自言少时读《千字文》即有所解悟，谓"心动神疲"四字也。平生遇事知谨节，不久劳心疲神，故老而不衰。

①旷：荒废。

②舟子：驾船的人，船夫。

③敝：破旧，坏。

④撼却：抛弃，丢开。

⑤罔顾：不顾及。

寿世传真

读经典 学养生

SHOU
SHI
CHUAN
ZHEN

修养宜宝精宝气宝神第三

修养宜宝精宝气宝神第三

寿世传真

读经典学养生

SHOU
SHI
CHUAN
ZHEN

# 全神语

修养宜宝精
宝气宝神第三

弥格居士曰：神者，心之运用[1]，宜急治心以全[2]神。

《觉世真言》曰：通天达地，出化[3]入神，只是一个心。动中茫茫[4]，不知此心久不在腔子里。故治心者要先知收心。

又曰：心乃一身之主，主人要时时在家，一不在家，则家人无管束，必散乱矣，故心不内守则气自散，神自乱，精自耗。

《觅玄语录》云：所谓思虑者，乱想耳。只是将已往未来之事，终日牵念。故知事未尝

读经典 学养生

寿世传真

SHOU
SHI
CHUAN
ZHEN

修养宜宝精宝气宝神第三

累人心，乃人心自累于事，不肯放耳。

又曰：世人终日营扰，精神困惫，夜间一睡，一点灵明⑤又为后天浊气所掩，安得复有澄定⑥之时。

**注**

①运用：原意为利用，计谋，打算。这里指（心）的主宰、掌管者。

②全：保全。

③化：变化。

④茫茫：指广阔，深远，空旷。

⑤灵明：明洁无杂念的思想境界。

⑥澄定：安定。

龙舒居士曰：世人一生，父母妻子、屋宅田园、牛羊车马，以至微细等物，无非己之所有，举眼动步，莫罔顾恋。且如纸窗虽微，被人扯破，犹有怒心；一针虽小，被人将①去，犹有吝意。一宿在外，已②念其家；一仆未归，已忧其失。种种事物，无不挂怀。一旦大限到来，尽皆抛弃，虽我此身亦弃物也，况身外者乎。静言思之，恍然可悟，一场幻梦。

《吕泾野语》曰：人生顺逆得失，即盈虚消息之理，乃造化所司，非人所得而主之者。然造化能苦我以境，不能苦我之心，是只厄③其半也；若境苦而我心亦缘境俱苦，谓之全厄。明明厄可减半，我自愿受其全，岂非痴汉。

《虚斋语录》曰：仰观宇宙之广大，俯察身世之微渺，内视七情贪恋之虚想，外睹六亲眷属之幻缘，如一浮萍泛于巨海，一沤泡④消于大江，此何庸⑤着意安排。倘昔自缠绵⑥，徒以困惫终其身，此之谓人茧。

## 注

①将：拿。

②已：太，过于。

③厄：困苦，灾难。

④沤（ōu）泡：水泡。

⑤庸：平常。

⑥缠绵：牢牢缠住，不能解脱。

又曰：世宙一大戏场。离合悲欢要看假些，功名富贵要看淡些，颠连困苦要看平常些，时势热闹要看冷落些。若认真，当顺境则心荡气扬，当逆境则情伤魄丧，到得锣鼓一歇，酒阑人散①，漏尽钟鸣②，众角色一齐下场，那时谁苦谁乐。

《觅玄语录》云：学治心者，必须万虑俱忘，一心清静。问曰：如何得心清？曰：谁令尔浊。问曰：如何得心静？曰：谁令尔动。凡人起一切事，本由自心，止一切事，亦由自心。如耳不闻非礼③之声，声自不扰汝耳；目不视非礼之色④，色自不侵汝目。作如是想，自然清静矣。又问曰：决烈之士，于身心世事两境界，他能觑破，用慧剑斩群魔，自是入道大器，下士为名利缠缚，为嗜欲缠缚，安能一旦了达解脱？曰：不怕念起，惟怕觉⑤迟，觉来则念止，此妙诀也。每于一念妄⑥生，觉时急止之，自此以一觉止一念，久久纯熟，自然无念有觉。心譬如镜，镜常磨则尘垢不沾，光彩常现。只此觉止二字，是入清静境界的道路。

注

① 酒阑人散：阑，尽。这里的意思是酒席完毕，客人归去。

② 漏尽钟鸣：比喻人的生命已到尽头。

③非礼：不合礼仪制度。

④色：佛家语中指一切物质的存在。

⑤觉：醒悟。

⑥妄：虚妄，荒诞，荒谬。

又曰：治心者时时内观此心，即谓之觉，一切烦邪乱想，随觉即除。

又曰：触事之心，未能不动，但须如谷应声，即应即止，如镜照物，物来则照，物去不留。

《心传》曰：将躁而止之以宁，将邪而闲之以正，将求而抑之以舍。于此习久，则物冥①于外，神安于内，不求静而心自静矣。

又曰：人居尘世，难免营求②，虽有营求之事，而无得失之心，故有得无得，心常安泰。

《吕泾野语》曰：人心最苦处，是此心沾滞③，纵自知得，不能割断。故古有诏人歌曰：夜结于梦，昼驰于想，起灭万端，尽属虚妄，一剑把持，群魔消丧。

《虚斋语录》曰：人生只忙迫一场，苦恼至死，岂不可哀。《诗》云：今此不乐，逝者其耋④。苦恼者，当自去寻乐一番。盖人固不

59

可不知虚生之忧，亦不可不知有生之乐；不可不行步步求生之事，尤不可不存时时可死之心。

①冥：深奥，深沉。
②营求：营求私利。
③沾滞：挂碍，拘执而不通达。
④耋：年老。

宋白公曰：烦恼乃伐命之斧斤①，人当于难制处用功。古人有除烦恼歌云：百年偶寄，何苦烦恼，天地缺陷，人生皆有，生初坠地，哭声一吼，身落尘劫，烦恼居首。烦字从火，内焚外燎，脏腑焦燥，形貌枯槁，精因之摇，神因之扰，气因之丧，寿因之夭。人固明知，烦恼自讨，气性之偏，习而难矫，执迷者多，醒悟者少。古有歌词，名曰宝诰②，当烦恼时，心镜内照，譬如此身，冥冥杳杳③，坠地以前，归土以后，此身都无，烦恼尽扫。持诵斯言，永年可保。

寿世传真

读经典　学养生

SHOU
SHI
CHUAN
ZHEN

修养宜宝精宝气宝神第三

　　吾闻多忧者见理之不明也，否则安命之不固也，不然，何不学君子之荡荡，反同小人之戚戚④。

　　又闻多忧者其思结，气将沮⑤也；其气沮，神将索⑥也。多阴而少阳，将从阴而下沉，不能从阳而上升也。此近死之兆。

注

①斧斤：斧子。

②宝诰：赞颂神仙的骈文，是道教的特定文体之一。

③冥冥杳杳：迷糊，不知所以。

④君子之荡荡，小人之戚戚：出自《论语·述而》，意思是君子心胸开阔，神定气安，小人则是斤斤计较，患得患失。

⑤沮：坏，败坏。

⑥索：尽。

　　有一乐境界，便有一苦境界相对待①。有一得意事，便有一失意事相乘除②。犹昼夜寒暑之循环，无偏倚也。故知履③盛满者不必喜，知必有困厄之时；履困厄者不必忧，知必有亨通之日。宜远观百年之兴废，无近拘一日之荣枯。欲知其实，但当看人家高曾祖父与其子孙，通计较量④，则有盛必有衰，有衰必有盛，循环对待之理，显然在目前矣。

人生世间，自幼至壮至老，如意之事常少，不如意之事常多。虽大富贵人，天下之所仰羡以为神仙，而其不如意事各自有之，与贫贱者无异，特⑤所忧患之事异耳，从无有足心满意者。故谓之缺陷世界。能达此理而顺受之，则虽处患难中，无异于乐境矣。

人谓贫贱不如富贵耶？积贮愈浓，计虑愈深，劳苦愈甚。第宅园田，为子计，又为孙计。致使饮膳失期⑥，夜分莫寝，贫贱者无是苦也。孰谓贫贱不如富贵也。

为卑官，则恨不享大位；及位高，而险祸叵测，回想卑官而受安稳之福，真仙境矣。布衣粝食，举家安泰，惟恨不富；及至金多，而经营劳困，惊惶忧恐，回想贫穷无事时，一家安泰，真仙境矣。身体强健，则恨欲不称心；一朝疾病淹缠⑦，卧床寝席，百般痛苦，回想四体康强时，真仙境矣。无奈人只见一层，不见二层也。

①对待：双方面相比较而存在，处于相对的情况。

②乘除：比喻自然界中的盛衰变化，此消彼长。

③屡：通"屡"，一次又一次。

④通计较量：指用竞赛或斗争的方式比本领、实力的高低。

⑤特：只，但。

⑥期：时限，期限，限定或约定的时间。

⑦淹缠：缠绵，纠缠。

寿世传真

读经典 学养生

SHOU
SHI
CHUAN
ZHEN

修养宜宝精宝气宝神第三

寿世传真

读经典 学养生

SHOU
SHI
CHUAN
ZHEN

# 修养宜知要
# 知忌知伤第
# 四

　　子舆氏曰：夫蚓上食稿壤①，下饮黄泉。东坡曰：蜗涎不满壳，聊足以自濡②。所谓知要也。又，《野语》曰：蝮蛇有一种小而甚智。巫流操其法术欲取之，必诵咒语于洞穴之口。蝮一闻之，即以尾塞其耳，拒其声而弗听。巫术穷，而蝮得安于蛰。所谓知忌也。又曰：夜飞之蛾，赴灯烛光而扑之，始以为快，卒以焚身。蚊睫③朗④于暗，避火而远飏焉。所谓知伤也。夫人灵于物，终其身昧昧然⑤，不知所谓有要有忌有伤者，或致枯于贪，或罹患于诱，或焚身于快。予为就日之所习，最要最忌最伤之事，胪列⑥而琐陈之，使由是推类引伸，以保其生，庶几⑦不智出微虫下也。

寿世传真
读经典　学养生

SHOU
SHI
CHUAN
ZHEN

修养宜知要知忌知伤第四

## 注

①稿壤：稿，通"槁"。这里指干土。

②蜗涎不满壳，聊足以自濡：蜗牛的涎液没有装满自己的壳，只足够用来湿润自己。

③睫：眼睫毛，这里代指眼睛。

④朗：明亮。

⑤昧昧然：糊涂无知的样子。

⑥胪列（lú liè）：罗列，列举。

⑦庶几：也许，大概。

寿世传真
读经典 学养生

SHOU
SHI
CHUAN
ZHEN

修养宜知要知
忌知伤第四

十要

面要常擦　如前擦面之功，能使容颜光泽，故要常擦。道家谓之修神庭。

目要常揩　每静时能常闭目，用两大指背，两相磨擦，揩眼使去火，永无目疾，故要常揩。

耳要常弹　即鸣天鼓。可免耳患，故要常弹。

齿要常叩　齿喜动，故要常叩。

背要常暖　肺系近背，暖则不受风寒，故要常暖。

胸要常护　胸即心窝，故要常护。

腹要常摩　歌云：食后徐①行百步多，手摩脐腹食消磨，故要常摩。

足要常搓　如前足功，搓脚底涌泉穴，能去风湿，健步履，故要常搓。

津要常咽　如前舌功，常取津液满口，汩声咽之，能宣通百脉，故要常咽。

睡要常曲　仰面伸足睡，恐失精，故宜侧曲。又曰：睡则气滞于百节②，养生家睡宜缩，觉宜伸。

注

①徐：慢慢地。
②百节：泛指全身关节。

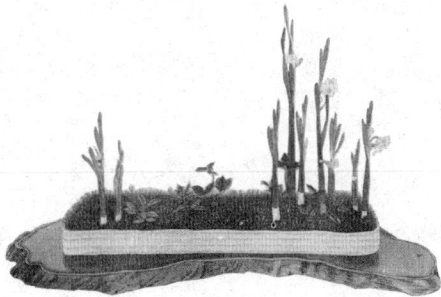

忌早起科头[1]　早多风露之气，科头则寒邪入脑，故忌之。

忌阴室贪凉　无阳照之室，阴气重，伤人，故忌之。

忌湿地久坐　潮湿气主生疮毒，故忌之。

忌冷着汗衣　汗衣湿后必冷，着之则侵背伤肺，故忌之。

忌热着晒衣　久晒之衣，有热毒，未经退热即着在身，必受毒，故忌之。

忌出汗扇风　汗出时毛窍俱开，扇则风邪

侵入，故忌之。

忌灯烛照睡　神不安，故忌之。

忌子时房事　阳初生而顿灭，一度②胜十度，故忌之。

忌夏月凉水抹簟③，冬月热火烘衣　冷水受湿，热火受毒，取快一时，久必生病，故忌之。

忌久观场演剧　久视久听，则神与精俱伤，故忌之。

**注**

①科头：不戴冠帽，裸露头髻。

②一度：一次。

③簟（diàn）：竹席。

寿世传真　读经典学养生

SHOU
SHI
CHUAN
ZHEN

修养宜知要知忌知伤第四

寿世
读经典　学养生
传真

SHOU
SHI
CHUAN
ZHEN

修养宜知要知忌知伤第四

　　久视伤精　　目得血能视，精由血化，故伤精。

　　久听伤神　　神滋于肾，肾通窍于耳，故伤神。

　　久卧伤气　　卧时张口散气，合口壅气，故伤气。《混元经》曰：睡则气滞于百节（觉[①]与阳合，寐与阴并，觉多则魂强，寐久则魄壮，魂强者生之人，魄壮者死之徒也）。

　　久坐伤脉　　脉宜运动，坐则不舒展，故伤脉。

久立伤骨　立以骨干为用，故伤骨。

久行伤筋　行以筋力为用，故伤筋。

暴怒伤肝　肝属木，怒如暴风动摇，故伤肝。又，肝主血，肝伤则血不荣，必筋痿②。

思虑伤脾　思虑时，脾必运动，太过则脾倦，故伤脾。

极忧伤心　心属火，于味主苦，忧则苦甚，故伤心。

过悲伤肺　肺属金，主声音，悲苦久则声哑，故伤肺。

过饱伤胃　饱食运化难消，故伤胃。

多恐伤肾　肾属水，主北方黑色，人受惊恐则面黑，故伤肾。

多笑伤腰　笑时必肾转牵腰动，故伤腰。

多言伤液　言多则口焦舌苦，故伤液。

多唾③伤津　津生于华池④，散为润泽，灌溉百脉，唾则损失，故伤津。又，《训典》曰：津不吐，有则含以咽之，使人精气留而自光。

多汗伤阳　汗多亡阳，阳随汗出，故伤阳。

多泪伤血　血藏于肝，哭泣多则肝损目枯，故伤血。

寿世传真
读经典 学养生

SHOU
SHI
CHUAN
ZHEN

修养宜知要知忌知伤第四

多交伤髓　人之阳物，百脉贯通，及欲火动而行事，撮一身血髓至于命门，化精以泄。不知节欲，致骨髓枯竭，真阳无寄，如鱼之失水以死。

**注**

①觉：睡醒。

②痿：萎缩或失去机能的疾病。

③唾：从嘴里吐出来。

④华池：口的舌下部位。

# 修养宜四时调理第五

寿世传真

读经典学养生

SHOU
SHI
CHUAN
ZHEN

修养宜四时调理第五

　　延寿之法，惟自护其身而已。冬温夏凉，不失时序，即所以自护其身也。故前人云：知摄生①者，卧起有四时之早晚，兴居②有至和③之常制④，调养筋骨有偃仰⑤之方，节宣⑥劳逸有予夺之要，温凉合度，居处无犯于八邪⑦，则身自安矣。真西山先生四时调理春月歌云：尝闻避风如避箭，春风多厉须防患，况因阳发毛孔开，风才一入成瘫痪。夏月歌云：四时惟夏难调理，阳神在外阴在里，心旺肾衰何所防，特忌贪欢泄精气。秋月歌云：时到秋来多疟痢，

寿世传真

读经典 学养生

SHOU
SHI
CHUAN
ZHEN

修养宜四时调理第五

浣漱沐浴宜暖水，瓜茄生菜不宜餐，卧冷枕凉皆勿喜。冬月歌云：伏阳在内三冬月，切忌汗多阳气泄，阴雾之中勿远行，冻雪严霜宜早歇。春夏秋冬历一年，稍知调护自无愆[8]，安然无病称真福，莫恃身当壮盛年。细玩五歌，语虽浅而法实周，欲护其身者，故当书绅[9]三复。

注

①摄生：指养生，保养身体。

②兴居：指日常生活，即起居。

③至和：指极和谐、安顺。

④常制：通常的制度。

⑤偃仰：俯仰。

⑥节宣：指裁制以调适之，使气不散漫，不壅闭。

⑦八邪：指反于八正道者，即邪见，邪思惟，邪语，邪业，邪命，邪方便，邪念，邪定。

⑧愆（qiān）：罪过，过失。

⑨书绅：原指把要牢记的话写在绅带上，后亦称牢记他人的话。

读经典学养生

寿世传真

SHOU
SHI
CHUAN
ZHEN

修养宜四时调理第五

春三月

修养宜四时调理第五

　　《摄生消息论》曰：春阳初升，万物发萌，人有宿疾①，春气攻动，又兼去冬以来，拥炉薰衣，积至春月，因而发泄，致体热头昏，四肢倦怠，腰脚无力，皆冬所蓄之疾，是务调理。

注

①宿疾：一向有的病，旧病。

# 调理法

寿世传真

读经典 学养生

SHOU
SHI
CHUAN
ZHEN

修养宜四时调理第五

勿多食酸味，减酸以养脾气（春，肝木正旺，酸味属木，脾属土，恐酸味助木克土，令脾受病）。

宜常食新韭[①]，大益人。过春后勿食，多昏神。

饮屠苏酒于元旦，免一年疾患。酒方：大黄（一钱），川椒（一钱五分），桂心（一钱八分），乌头（炮，六分），白术（一钱八分），茱萸（一钱一分），桔梗（一钱五分），防风（一两）。

元旦寅时[②]，酒煎饮之。宜先幼后长。

乍寒乍暖，不可顿去绵衣，渐渐减之。稍寒莫强忍，即仍加服。

春夜卧时，间或用热水，下盐一撮，洗膝下至足，方卧。能泄风邪香港脚[③]。

三月三日，上巳节[④]，宜临水宴饮，修禊事以祓除不祥。

寿世传真

读经典 学养生

SHOU
SHI
CHUAN
ZHEN

修养宜四时调理第五

## 注

①韭：韭菜。

②寅时：凌晨三点到五点。

③香港脚：足癣，真菌感染引起。

④上巳节：三月三日，旧俗以此日在水边洗濯污垢，
祭祀祖先，叫作被禊、修禊、禊祭，或者单称禊。

寿世传真

读经典 学养生

SHOU
SHI
CHUAN
ZHEN

修养宜四时调理第五

## 夏三月

### 修养宜四时调理第五

《保生心鉴》曰：暑气酷烈，炼石流金<sup>①</sup>于外，心火焚炽于内，古人于是时独宿、淡味，节嗜欲，定心息气，兢兢业业<sup>②</sup>，保身养生。谚云：度过七月半，便是铁石汉。因一岁惟夏，乃生死关也。试看草枯木落，其汁液尽消竭于夏。危乎危乎，其此时乎。

**注**

①炼石流金：指温度极高，能将金石熔化。

②兢兢业业：形容做事谨慎、勤恳。

# 调理法

勿多食苦味，减苦以养肺气。（夏，心火正旺，苦味属火，肺属金，恐苦味助火克金，令肺受病。）

虽大热，勿食冻水、冷粉、冷粥等物，虽取快一时，冷热相搏，多致腹疾。

勿食煎炒炙煿等物，以助热毒。多发痈疽。

勿枕冷石。损目。

勿睡熟扇风，或露卧取凉。多成风痹①瘫痪之病。

阴房破窗，防贼风②中人最暴。

勿用冷井水洗面，伏热在身。

烈日晒热之衣，不可便穿。

宜每日早起，以受清明之气。

五月五日，用枸杞煎水沐浴，可却除灾疾。

又，是日午时，可合平安散存用。（凡五月五日午时宜修合③药饵者，因斗柄决④。以月月常加戌，戌时⑤天罡⑥指午，亥时⑦指未，自未轮转，五日午时正指艮宫⑧，为塞鬼户也，故用此时合药最效。）

**平安散方**

雄黄、火硝、明矾、朱砂（各二钱），冰片、麝香（各三分），荜茇（五厘），真金三十张共研为末。

防疫气流行，用贯仲一味，置厨房水缸内，合家食之，不染。

调乌梅汤解暑。方用乌梅，不拘多少，捣烂，加蜜，调滚水，待温饮之。或用砂糖代蜜亦可。

**注**

①风痹：因风、寒、湿邪侵袭而引起的肢节疼痛或麻木的疾病。

②贼风：从孔隙透入的，不易察觉而可能致病的风。

③修合：修，指对未加工药材的炮制。合，指对药材的取舍、搭配、组合。修合就是指中药的采集、加工、配制过程，它涉及药材的产地、成色、质量、加工等因素，直接影响中药的疗效。

④斗柄：北斗七星中玉衡、开阳、摇光三星。

⑤戌时：指晚上七点到晚上九点。

⑥天罡：古星名。指北斗七星的柄。

⑦亥时：下午九时正至下午十一时。

⑧艮（gèn）宫：八卦之一，代表山。

# 秋三月

《养生论》曰：秋风虽爽，时主肃杀①，万物于此凋伤。顺时调摄，使志安宁，以缓秋刑，此秋气之应，养收之道也。

**注**

①肃杀：形容秋冬季树叶凋零、寒气逼人的情景。

## 调理法

勿多食辛味，减辛以养肝气。（秋，肺金

正旺，辛味属金，肝属木，恐辛味助金克木，令肝受病。）

勿食生冷，以防痢疾。

勿食新姜，大热，损目。

勿贪取新凉①。（凡人五脏俞穴，皆会于背。酷热之后，贪取风凉，此中风之源也。故背宜常暖护之。）

八月一日，用绢展取百草头上露，拭两目，倍光明。柏树露尤妙。

九月九日，佩茱萸，饮菊花酒，却疾益人。

注

①新凉：指初秋凉爽的天气。

# 冬三月

寿世传真 读经典学养生

SHOU
SHI
CHUAN
ZHEN

修养宜四时调理第五

　　《律志》曰：北方，阴也，伏也。阳伏于下，于时为冬。当闭精养神，以厚敛藏。如植物培护于冬。至来春方得荣茂。此时若戕贼①之，春升之际，下无根本，枯悴②必矣。

## 注

①戕（qiāng）贼：戕，残杀，杀害。贼，残害。这里戕贼是伤害、残害的意思。

②枯悴（cuì）：枯萎。

# 调理法

勿多食咸味，减咸以养心气。（冬，肾水正旺，咸属水，心属火，恐咸味助水克火，令心受病。）

不宜多出汗，恐泄阳气。

勿多食葱，亦恐发散阳气。

不宜沐浴。阳气在内，热水逼而出汗。（汗出而毛孔开，最易感寒。冬伤于寒，春必病瘟。）

不宜早出犯霜，或略饮酒以冲寒气。

不宜犯贼邪之风。（冬月，东南风为贼邪风，宜谨避之。）

冬至日，用赤小豆煮粥，合宅①啜②之，可免瘟疫时症。

宜积贮雪水，烹茶饮之，能解一切热毒。

## 注

①合宅：是指全家的意思。

②啜：饮，吃。

# 修养宜饮食调理第六

饮食男女，人之大欲存焉，即人之死生系焉。举世之人，皆知男女之事纵欲必致伤生，即饮食之中，亦惟知纵酒过度必至戕命，至于嗜味纵口，疾病丛蓄，甘陷溺于其中而不知警。盖病之生也，其机甚微，由积渐而毒始发，及病之成也，第①归咎于外感六气、内伤七情，鲜有悔悟于平日口腹之贪饕②者。考之《内经》曰：饮食入胃，游溢精气，上输于脾；脾气散精，上归于肺；通调水道，下输膀胱；水精四布，诸经并行。是为无病之人。此言水谷之益人也。今也饮食不节，恣食浓味，惟恐

85

寿世传真

读经典 学养生

SHOU
SHI
CHUAN
ZHEN

修养宜饮食调理第六

不及，血沸气腾，济③以燥毒，清化为浊，脉道阻涩，不能自行，疾已潜滋矣，犹恬④不知畏。虽晓⑤之以物性，陈说利害，无如美食在前，馨气当鼻，馋涎莫遏，其可禁乎。或反托词肠胃坚浓，福气深壮，何妨奉养。纵口固快一时，积久必为灾害。前哲格言，爽口作疾，浓味厝⑥毒，谓之何也。

**注**

①第：只，仅仅。

②饕（tāo）：比喻贪吃的人。

③济：救助，帮助

④恬（tián）：满不在乎，坦然。

⑤晓：通知，告诉。

⑥厝（cuò）：放置，安排。

　　或者疑《内经》曰精不足者补之以味，又曰地食人以五味，则嗜味何伤。不知味有本于天者，有成于人者。谷粟菽①麦，自然冲和之味，有益人补阴之功，此《内经》所为本天之味也。若人之所为者，皆烹饪偏厚之味，有致疾伤命之虞②，安于冲和之味者，心之敛，火之降也；以偏浓之味为安者，欲之纵，火之胜也。且谷食与肥鲜同进，厚味得谷为助，其积之也久，宁不长阴火而致虐乎。彼安于浓味者，未之思耳。昔人《饮食垂戒箴》曰：山野贫贱，淡薄为常，动作不衰，体健而康，均此同体，我独苦病，悔悟一萌，尘开镜净。可知茹③淡者安，啖④厚者危。试观古今来寿登百岁以上者，多出于民间，而身都通显家享丰厚者，罕有其人，岂天命定数，独彼寿而此否乎。又或者曰：视养我者均为我贼，食物固可废欤？曰：厚不如薄，多不如少，虑患而谨节之，畏危而坚忍之，举匕箸⑤如儆⑥戈矛，不与肉食者同其陷溺⑦，宁负我生之腹，不负生我之天，是亦卫生之一道也。

注

①菽（shū）：豆的总称。

②虞：忧虑。

③茹：吃。

④啖（dàn）：吃。

⑤匕箸（bǐ zhù）：食具，羹匙和筷子。

⑥儆：使人警醒，不犯过错。

⑦陷溺：比喻深深陷入错误的泥淖而无法自拔。

87

读经典 学养生

寿世传真

SHOU
SHI
CHUAN
ZHEN

修养宜饮食调理第六

嗜味纵口，必致伤生，已淳淳①戒之矣。即日用菜蔬之属，各有性寒性热之不同，或益或损之宜辨，苟非平时留神审择，亦阴受其患而不知。兹复就家常需用之食物，搜考本草诸书而摘录之，惮知所去取而慎择焉。按本草诸书，坊间②旧刻不下数十种，究无一可据，或性味彼此柄凿，或损益自相矛盾，甚或侈③陈反忌，竟无一物敢入口者。姑举其一二言之。如食品诸物，载鸡肉同虾、鲤鱼食，成痈；芥菜同鲤鱼食，成心瘕④。凡肴馔⑤中多以此合食，曾未见有为害者。且又谓鸭肉与鳖同食杀人，尤属妄诞，骇人耳目。至如一物也，言主治则云能化痰能益气，言反忌又云食之生痰动气。将信为化痰益气而食之乎，抑信为生痰动气而禁之乎，令人无所适从，何须费辞饶舌。惟延禧堂《集解》颇能辟之，谓诸家食忌不可尽信。然亦以"猪之临宰，惊气入心，绝气入肝，皆不可食"等语，信为有据，叙入篇中。独不思心之与肝，凡畜同具，屠宰之时，皆不惊不绝乎，何仅一猪为然。且既云心不可食矣，何又云心可入心补心；既云肝不可食矣，何又云肝能入肝明目。荒唐无稽之说，不可殚述⑥。兹则删其繁芜，正其悖谬，就常食习见之物，分类而剖之，确而可信，简而易稽⑦，俾饮之食之者，洞悉其物性，审择其损益，庶有助于养生者之趋避也。

## 注

①淳淳（chún chún）：循环的样子。这里指反复。

②坊间：街市上。多指书坊、书店。

③侈：夸大。

④瘕：腹中结块的疾病。

⑤馔（zhuàn）：饮食，吃喝。

⑥殚述：详尽叙述。

⑦稽：查考，核实。

# 谷类

寿世传真

读经典 学养生

SHOU
SHI
CHUAN
ZHEN

修养宜饮食调理第六

**粳米** 性和平，得天地中和之气。

又称粘米。（南产米胜于麦，北产麦胜于米，亦地气使然也。）

〔宜〕陈米性平，扶助脾土，益精强志，滋培胃气。

〔忌〕新米性稍热，凝痰。

**早米** 性温，得土气，最能健脾。

**晚米** 性凉，得金气，尤能解热。

**红米**　性温，力厚。

**白米**　性凉，气清。

**糯米**　性温，米之绵软者。

〔宜〕补脾肺虚冷，坚大便，实肠。

〔忌〕多食黏滞难化。（糯米酿酒，和以极克伐之药曲，糟秕①仍难融化，即此可知。）

**粟米**　性微寒。

小米曰粟米。糯者名秫②，酿与糯米同。

〔宜〕养肾益气，解胃热，利二便。

〔忌〕湿热下痢者少食。

**大麦**　性温。

〔宜〕助胃补脾，下气除胀。

〔忌〕久食生熟，亦令脚软，因其下气也。

**麦芽**　性微热，味甘。化一切面食积滞。

读经典学养生

寿世传真

SHOU
SHI
CHUAN
ZHEN

修养宜饮食调理第六

**小麦**　性微寒。

北产与陈久者良。

〔宜〕养心补气，助五脏，浓肠胃。

**面**　性热。（麦之凉在皮，面去皮即性热。加碱水者多口燥发渴。）

**麸**　性凉。熨腰脚寒湿，散血止痛。

**荞麦**　性寒。

〔宜〕降气宽肠，解酒积。

〔忌〕脾胃虚者勿多食。致头眩。

**高粱**　即稷。

〔宜〕作酒。治腹疾良。

**芝麻**　性平。

即胡麻。又名巨胜子。陶弘景曰：八谷中惟此最良。

〔宜〕补脾，益肝肾，润五脏，填精髓，坚筋骨，明耳目，凉血，解毒。黑者入肾；白者入肺；粟色者久蒸久晒，可以耐饥。

**薏苡仁**　性微寒。

〔宜〕健脾补肺，除脚气湿热，去筋疼拘挛，亦治疝气热淋。祛邪辅正，有益无损，最宜常作粥食。

**绿豆**　性凉。去皮性平。

〔宜〕清热解毒，利小便，消肿痛。

〔忌〕多食动腹中冷气。

**豆粉**　性凉。荡粉皮、索粉条，皆能醒酒解毒。

**豆芽**　（同粉。）

**黄豆**　性平。炒则热，煮则寒，作豉则冷，蒸晒则温。

〔宜〕清热，下大肠浊气。

〔忌〕发疮助脓。

寿世传真

读经典 学养生

SHOU
SHI
CHUAN
ZHEN

修养宜饮食调理第六

**豆腐**　性寒。和脾胃，消胀。

**豆腐浆**　清火带补。

**豆腐皮**　性寒。解热、除斑。

**豆腐干**　性同豆腐。

**豆腐乳**　性同。

**黑豆**　性寒。坚小者名马料豆。
〔宜〕镇心活血，明目补肾，利水下气，散热，驱风，解毒。

**豆豉**　性冷。发汗解肌，调中下气。

**蚕豆**　性温。即胡豆。
〔宜〕快胃利脏。
〔忌〕多食发胀。

**豌豆**　性平。

〔宜〕益胃，止泄。

〔忌〕多食发胀。

**赤小豆**　性平。

〔宜〕补心。

〔忌〕多食助热。

注

①糟秕：酒渣。

②秫（shú）：黏高粱。

寿世传真

读经典学养生

SHOU
SHI
CHUAN
ZHEN

修养宜饮食调理第六

# 兽类

**猪肉** 性微寒。

雄猪曰豭，骟割者曰豶，母猪曰豝。

〔宜〕肉补肉，丰肌体，泽皮肤。亦润肠胃，生精液。

〔忌〕多食助热、生痰、动风。（故肉虽多不使胜食气也。风寒病初起及愈后宜暂禁之。因油腻沾滞，风寒不能解散。又，病后肠胃虚弱，难受肥浓也。）

**猪头** 性热，有毒，发宿疾。

**槽头**　毒比猪头尤甚。系[1]猪项肉。

**脑髓**　性大寒，冷精，损阳。

**猪舌**　无毒，可食。

**猪蹄**　性平。煮汤食，通乳汁。洗败疮良。

**猪血**　性平。解丹石毒，治头风眩晕。心血治惊癫；尾血和冰片治痘疮倒靥。多食损阳。

**猪油**　性寒。凉血，润燥，散风，利肠，解毒，杀虫。胰子油润五脏，消干胀。

**猪心**　性平。治惊邪虚悸，补心血不足。

**猪肝**　性温。补肝明目。

**猪肺**　性微寒。补肺治咳。

**猪肚**　性温。健脾，补羸[2]，助气，四季宜食。

寿世传真　读经典学养生

SHOU
SHI
CHUAN
ZHEN

修养宜饮食调理第六

97

读经典学养生

寿世传真

SHOU
SHI
CHUAN
ZHEN

修养宜饮食调理第六

**猪肠**　性寒。润肠治燥，止小便，调血痢。

**猪肾**　即腰子。性冷。治肾虚腰疼、耳聋。

**猪脾**　即连贴。性平。治脾胃虚热。

**猪脊髓**　性寒。补骨髓，益虚劳。

**羊肉**　性热。

〔宜〕补虚劳，益气血，壮阳，开胃。

〔忌〕发疮疖。

**羊肝**　性平。补肝明目。

**羊胆**　性苦寒。点风泪眼、赤障、白翳良。

**胫骨**　烧灰擦牙良。

**羊血**　性凉。解金银、丹石、砒硫毒。

**羊乳**　性甘温。补肺肾虚，润胃脘、大肠，治反胃、消渴、口疮、舌肿。

**牛肉**　性温。味甘。补脾。

〔宜〕补脾益气，壮力强筋。

〔忌〕患疮毒者勿食肉，患冷痢者勿食乳。且有功之畜，亦不忍食。

**牛乳**　味甘，寒。作酥油，补脏利肠，和血脉，泽肌肤。作酪，止烦，润燥，益心肺。

**犬肉**　性温。味甘、微辛。

〔宜〕暖胃，益脾，补虚，壮阳。

〔忌〕食之身带厌秽。亦有功之畜，戒与牛同。

**鹿肉**　性温。味甘、微酸。

〔宜〕补中益气，助虚补脏。（鹿乃纯阳多寿之物，又择食良草，其肉有益无损。）

**鹿茸**　补骨血，益精髓，坚阳道，除耳聋，目暗。

寿世传真

读经典 学养生

SHOU
SHI
CHUAN
ZHEN

修养宜饮食调理第六

**鹿角胶**　强骨髓，补阳，悦颜色。

**兔肉**　性凉。
〔宜〕益肺健脾。小儿食，稀痘。
〔忌〕孕妇不宜食。

**麂肉**　性平。
〔宜〕治五痔。

**熊肉**　性平。
〔宜〕补虚损，除风痹。

**熊掌**　性温。益气力，御风寒，除痹，补虚。

**熊胆**　性苦寒。凉心，平肝，明目，杀虫，治惊痫、五痔。

**獐肉**　性温。
〔宜〕祛风，消瘤。
〔忌〕动风。

**果子狸肉**　性平。

〔宜〕去游风。

**虎肉**　性平。味微酸。

〔宜〕益气力，止惊悸。

**虎骨**　治筋骨，追风定痛。

**虎胫**　治手足诸风。

**豹肉**　性平。

〔宜〕强气健力。

**马肉**　性冷。

〔宜〕壮筋骨，治痿痹③。

〔忌〕发疮疥。春食防瘴毒。

**驴肉**　性凉。

〔宜〕益劳损。

〔忌〕动风。

寿世传真

读经典学养生

SHOU
SHI
CHUAN
ZHEN

修养宜饮食调理第六

寿世传真

读经典 学养生

SHOU
SHI
CHUAN
ZHEN

**野猪肉**　性平。

〔宜〕治肠风④泻血。

**注**

①系：是。

②羸（léi）：瘦弱。

③痿痹：肢体不能动作或丧失感觉。

④肠风：为便血的一种，指因外感得之，血清而色鲜，多在粪前，自大肠气分而来的便血。

寿世传真

读经典 学养生

SHOU
SHI
CHUAN
ZHEN

# 禽类

**鸡肉** 性温。味辛，入肺。黄雌及乌骨者良。

〔宜〕补虚，温中，治劳损，助阳气。

〔忌〕发风，助肝火。老鸡头有毒，勿食。

**鸡蛋** 性平。补血，清音，止嗽，散热，定惊，止痢，安胎。

**鸭肉** 性冷。味甘、咸。老鸭白鸭良。

〔宜〕滋阴补虚，除蒸止嗽，利水道，治

热痢。

**鸭蛋** 性微寒。能除心腹膈热。盐藏食更宜。

**鹅肉** 性寒。味辛、甘。

白鹅辛凉无毒，苍鹅冷有毒；老鹅良，嫩鹅毒。

〔宜〕解脏热。汁止消渴。

〔忌〕发风动疮。

**野鸭** 性凉。一名凫。

〔宜〕补中，益气，平胃，消食，解热。

**野鸡** 性微寒。一名雉鸡。

〔宜〕补中，益气，止泄。

〔忌〕春夏食之微毒。

**鸽** 性平。味甘、辛。入肾经，助阳。

〔宜〕除诸疮疾，解百药毒。

〔忌〕减药力。

**鸽屎**　治阴症腹痛。

**斑鸠**　性平。味甘、微咸。入肝经，明目。
〔宜〕补气，助阴，能明眼目。

**麻雀**　性温。
〔宜〕益气，壮阳。

**麻雀蛋**　有斑。五月取之，和天雄①、菟
丝子为丸，酒下，治阳痿不起。

**雁**　性平。
〔宜〕治风挛拘急，长毛发须眉，除结
热，开耳聋。

**鸬鹚**　性冷。
〔宜〕治大腹鼓胀，利水道。

注

①天雄：乌头的子根的加工品。

读经典学养生
寿世传真

SHOU
SHI
CHUAN
ZHEN

修养宜饮食调理第六

# 水族类

**燕窝**　性平。洁白者良。

〔宜〕消痰，降火，补气。

**海参**　性寒滑。

〔宜〕解脏热，补肾，故名参。

〔忌〕稍滞而难化。

**鲍鱼**　性温。

〔宜〕化痰。

寿世传真

读经典 学养生

SHOU
SHI
CHUAN
ZHEN

**鱼翅**　性平。

**鲤鱼**　性平。

〔宜〕利小便，治脚气、水肿、黄疸。

**鲟鳇鱼**　性平。味甘、辛。雄曰鲟，雌曰鳇。

〔宜〕作鲊，可常食。

**鲥鱼**　性平。味甘。

〔宜〕补虚劳。

〔忌〕发疥[①]瘤。

**鲈鱼**　性温。

〔宜〕温中益气。

**鲭鱼**　性甘平。

〔宜〕治脚气。

〔忌〕服术人勿服。

**胆**　治目疾，除喉痹，涂热疮。

寿
世
传
真

读经典 学养生

SHOU
SHI
CHUAN
ZHEN

修养宜饮食调理第六

**鳊鱼** 性平。味甘。即鲂鱼。

**鲫鱼** 性温。味甘。

〔宜〕和胃实肠。（鱼皆属火，惟鲫属土，故宜肠胃。）

〔忌〕不宜同砂糖食。

**鲢鱼** 性甘温。味甘。一名鲋鱼。

〔宜〕补中益气。

〔忌〕多食，令人热中发渴，又发疮疥。

**鳜鱼** 性平。

〔宜〕补虚，益脾，治劳瘵、肠风便血。

**鲩鱼** 性温。即草鱼。

〔宜〕暖胃和中。

**鲇鱼** 性平。味甘。大者为鳠鱼。

**鲞鱼** 性平。即石首鱼干。

〔宜〕开胃，消食，治痢。凡病中，忌油

腻生冷，惟食鲞相宜。

**白鱼**　性平。味甘。又名鲦鱼。

〔宜〕开胃助脾，补肝明目。

〔忌〕患疖毒人食之，发脓。

**鲦鱼**　性平。即鲞鱼。

〔宜〕暖胃，止冷泻。

**鲨鮔鱼**　性平。味甘。

〔宜〕暖中，益气。

**银鱼**　性平。味甘、淡。

**乌鱼**　性平。味甘、微咸。即鳢鱼。

〔宜〕煮汤洗除汗斑。

**鮰鱼**　性平。味甘。有黄白二色，黄而小者名颗鱼。

**鳝鱼**　性温。味甘。

〔宜〕补五脏，除风湿。尾血疗口眼㖞邪。

寿世传真

读经典 学养生

SHOU
SHI
CHUAN
ZHEN

修养宜饮食调理第六

**鳗鱼** 性平。味甘。

〔宜〕除劳瘵骨蒸，补虚损。


**鳅鱼** 性平。味甘。即泥鳅，又名鳛鱼。

〔宜〕暖中益气，解消渴及酒病，收痔，兴阳。


**鳖** 性平。味甘。

〔宜〕凉血滋阴，愈疟疾，补肾除热。

〔忌〕与苋菜同食。


**龟** 性温。味甘、微咸。

〔宜〕补心，益肾，滋阴，资②智。

〔忌〕恶人参。


**龟板** 熬膏良。治阴血不足，劳热骨蒸。


**虾** 性热。味甘。

〔宜〕壮阳道。

〔忌〕多食发疮。

**蟹** 性寒。味甘。

〔宜〕除热，解结，散血，通筋，续筋骨。

〔忌〕寒胃泄泻。

**螺蛳** 性大寒。味甘、微咸。

〔宜〕清热安痔，利大小便。

〔忌〕脾胃虚寒者食之，泻不止。

**蛏蚶** 性凉。味咸、微甘。入肾经。

〔宜〕清热除烦。

**石决明** 似蛏而扁者，治目疾。

**海蜇** 性温。味咸。

〔宜〕清热软坚。

注

①痔：痔积。

②资：积蓄。

# 菜类

**韭菜** 性温。味辛、咸。入肺肾二经。韭汁和京墨①能止血。

〔宜〕益胃，助肾，补阳，充肺气，逐停痰。（春月多食最宜。）

〔忌〕春后多食昏神。

**韭子** 性温。补命门，暖膝，治阳痿。

**薤** 性温滑。味辛。又名藠子（藠音叫）。

〔宜〕助阳，散血，泄大肠滞气。同蜜捣

烂，可涂汤火伤。

葱　性温散。味辛。和蜜可治金疮毒壅。
炒热熨脐下，治阴症腹疼。

〔宜〕煮粥治痢。发汗，通阳气，止头
疼，散寒邪，利二便，治耳鸣，解诸鱼肉毒。

〔忌〕同蜜食，同枣食。

蒜　性温。味辛。和猪肚食之，能消
鼓胀。

〔宜〕通五脏，达诸窍，去寒湿，解暑
气，辟瘟疫，消肿毒，破积化食，利大小便，
解蛇虫诸毒。独头元瓣者，治疮尤良。

〔忌〕伤肝，损目，生痰，助火，散气，
耗血，昏神。

芸苔菜　性温。味辛。道家五荤之一。其
四即韭、薤、蒜、芫荽也。

〔宜〕散游风丹毒。

芥菜　性温。味辛。

〔宜〕利九窍，明耳目，除邪气，止

寿世传真　读经典学养生

SHOU
SHI
CHUAN
ZHEN

修养宜饮食调理第六

咳嗽。

**油菜** 性温。

〔宜〕散血消肿。

〔忌〕动疾发疮。

**苋菜** 性冷。味咸。

〔宜〕通九窍。

〔忌〕冷中，损腹，动气。不宜与鳖同食。

**马齿苋** 性寒。散血，解毒，利肠，祛风。

**菠菜** 性冷、滑。味甘、涩。

〔宜〕通肠胃，利五脏，解热毒酒毒。

〔忌〕滑肠，动冷气。

**莴苣菜** 性冷。味甘、涩。

〔宜〕开胸膈，利气。

**苦荬菜** 性寒。味苦。

〔宜〕解毒。

寿世传真
读经典 学养生

SHOU
SHI
CHUAN
ZHEN

修养宜饮食调理第六

**萝卜**　性温。即莱菔。

〔宜〕消食化痰。

〔忌〕服地黄、何首乌者，不宜食。

**萝卜叶**　止痢。

**萝卜子**　治痰，止嗽。

**胡萝卜**　性平。宽中下气，散肠胃邪滞。

**芫荽**　性温。即胡荽。

〔宜〕内通心脾，外达四肢，能辟一切不正之气。

〔忌〕久食令人多忘。

**茼蒿菜**　性平。

〔宜〕安心气，利肠胃，消痰饮。

〔忌〕动风。

**水芹**　性平、寒。

〔宜〕消烦渴。

寿世传真

读经典 学养生

SHOU
SHI
CHUAN
ZHEN

修养宜饮食调理第六

**萎蒿** 性温。

〔宜〕主发散。

〔忌〕多食发疮。

**莙荙菜** 性平。

〔宜〕利五脏，去头风。

〔忌〕腹冷人食之，破腹。

**黄芽菜** 性平。

**菘菜** 性温。即白菜。北地无菘，土不宜也。

〔宜〕利肠胃，除胸中烦渴，消食下气，止热嗽。

〔忌〕夏前不宜多食。发皮肤风痒。

**莼菜** 性冷、滑。

〔宜〕消渴，利便，下气，止呕。

〔忌〕多食损胃。

**蕹菜** 性平。

**蕨** 性寒。

〔宜〕去暴热，利水道。

〔忌〕多食腹胀，损阳，落发。

**芋** 性平。

〔宜〕宽肠胃，充肌肤，耐饥。

〔忌〕多食难克化，滞气困脾。

**薯** 性平。大者为薯，小者为山药，皮红、小似萝卜者为甜薯，又名红苕。

〔宜〕补劳瘦，益气力，充五脏，润皮毛，除烦热。

**山药** 性平。入脾肺二经，补其不足，清其虚热。

固肠胃，化痰涎，止泻痢，益心，治健忘，久食清耳目。生捣敷疮毒，消肿硬。

**百合** 性平。

〔宜〕润肺，宁心，清热，益气，止嗽，除涕泪，利二便。

**香椿**　性寒。香者为椿，臭者为樗。

〔宜〕寒能胜热，苦能燥湿，涩能收敛，治湿热泄泻、滑遗，止小便。

**茭白**　性冷。

〔宜〕治客热，利小便，解食毒。

**芦笋**　同。

**竹笋**　冬生者性温，其余俱性冷难化。

〔宜〕通利九窍，爽胃化热，消痰。多痰者宜食。

**扁豆**　性温。

〔宜〕调脾暖胃，消暑除湿，止渴止泻，解酒毒。

**豇豆**　性平。即长豆，为豆中上品。又名豆角。

〔宜〕益气，补肾，健胃，和脏，生精除渴，止吐逆泄痢。

**紫苏** 性温。

〔宜〕去寒发表，开胃除胀，辟腥解毒。

**茄子** 性寒。又名落苏。

〔宜〕散血，宽肠。

〔忌〕动风，发疾。秋后食损目。

**枸杞叶** 性凉。

〔宜〕清心肺客热，去风明目。

**姜** 性温。

〔宜〕生用逐寒邪能散，炮熟除胃冷能守。通神明，去秽恶，宣肺气而解郁调中，畅胃口而开痰下食。

〔忌〕多食损目。

**蘑菇** 性寒。

〔宜〕益肠胃，化痰理气。

〔忌〕动气发病，不可多食。

**羊肚菜** 同。

寿世传真

读经典　学养生

SHOU
SHI
CHUAN
ZHEN

修养宜饮食调理第六

慈菇　性辛。

〔宜〕清热治痛，除结核瘰疬。

金针菜　性寒。

〔宜〕舒脾开胃。

〔忌〕多食滑肠。

紫菜　性寒。

〔宜〕解烦热，消瘿结。

菌　性寒。

〔忌〕因湿气薰蒸而成，多有毒杀人。

木耳　性凉。

〔宜〕治牙疼、血痢，除痔。

〔忌〕多食难化。

石耳　性冷。

〔宜〕益精，明目，除泻血，安痔漏。

香蕈　性平。

〔宜〕益气不饥，治风破血。

〔忌〕生山僻处者有毒，杀人。

## 注

①京墨：由松烟末和胶质制成。京墨味辛，能治疗
吐衄下血、产后崩中，止血甚捷。

寿世传真

读经典 学养生

SHOU
SHI
CHUAN
ZHEN

修养宜饮食调理第六

寿世传真

读经典 学养生

SHOU
SHI
CHUAN
ZHEN

**冬瓜** 性寒。

〔宜〕泻血益脾，利二便，消水肿，散热毒。

子 补肝明目。

**瓠瓜** 性平。长曰瓠瓜，短曰葫芦。

〔宜〕除烦热，利水道，润心脾。花、叶俱解毒。

〔忌〕多食令人吐利。患脚气、冷气者，食之永不除也。

**西瓜** 性寒。

〔宜〕解暑除烦，醒酒，利便。（谓之天生白虎汤[①]。）

〔忌〕多食伤脾助湿，致成疟痢。

瓜子 多食动火助热。

**菜瓜** 性寒。即梢瓜，多用作酱菜。

〔宜〕宣泄热气，解酒热毒。

〔忌〕苦寒有毒，不可多食。

**甜瓜** 性寒。

〔宜〕止渴除烦，利小便，夏不中暑。

〔忌〕多食破腹。

**苦瓜** 性寒。

〔宜〕除邪热，清心明目。

子 益气壮阳。

**南瓜** 性温。红色者名金瓜，南人俗名番瓜，北名倭瓜。

〔宜〕补中益气。

〔忌〕发脚气、黄疸并诸疮。

**丝瓜** 性冷。

〔宜〕除风化痰，凉血解毒，消浮肿，治肠风。

〔忌〕多食落发。

**王瓜** 性寒。即番薯，一名地瓜。

〔宜〕除诸热邪，益气，散痈肿，愈黄疸，妇女行乳通经。

**黄瓜** 性寒。一名胡瓜。

〔宜〕清热解渴，利水道。

〔忌〕多食致疟疾。

**木瓜** 性温。即香瓜。

〔宜〕和胃，滋脾，益肺，止吐，消食，治转筋，除湿痹脚气。

**注**

①白虎汤：中医方剂名。为清热剂，由石膏、知母、甘草、粳米组成，具有清气分热、清热生津的功效。

**枣子**　性温。北产肥润者良。

〔宜〕补中益气，滋脾土，润心肺，生津液，悦颜色，通九窍，助十二经，和百药。

〔忌〕多食生虫、损齿、作膨胀。不宜同葱、鱼食。

**柿子**　生柿性寒，柿饼性平。

〔宜〕肠风痔漏。健脾涩肠，润肺止嗽，安反胃。

〔忌〕多食生柿，苦寒败胃。

读经典 学养生
寿世传真
SHOU
SHI
CHUAN
ZHEN

修养宜饮食调理第六

**柿霜**　性冷。生津化痰，清上焦之热，治喉舌之疮。

**柿蒂**　性温。止呃逆。解误食桐油①毒。

**栗子**　性温。

〔宜〕厚肠胃，补肾气。熟食则耐饥，煨食止内寒暴泻。

〔忌〕多食，生则难化，熟则滞气。

**榛子**　性平。似栗，甚小，俗名茅栗。

〔宜〕肠胃。止饥，调中。

**桃子**　性热。

〔忌〕多食生内热，发胀，长疖，夏秋成痢。

**桃仁**　性平。行血消坚，润大肠，除皮肤燥痒。

**李子**　性温。

〔宜〕生津止渴。

〔忌〕多食发痰疟。

**杏子**　性热。

〔宜〕止热。

〔忌〕多食昏目，生痰。

**巴旦杏**　止咳，下气，消腹闷。

**杏仁**　性温。润肺，消食积，散滞气，发汗解风寒。

**梅子**　性涩。

〔宜〕止烦渴，生津。

〔忌〕冒风寒者不宜食，恐收寒入内。且损齿，泄津液，伤肾。

**乌梅**　性平。烟薰黑者，除烦热，止吐逆，消酒毒，敛肺涩肠。

**白梅**　性平。腌、晒干者，除痰，止泻痢，解烦渴。

读经典 学养生

寿世传真

SHOU
SHI
CHUAN
ZHEN

修养宜饮食调理第六

**橘子** 性寒。

〔宜〕肺经化痰，开胃，除胸膈气。

〔忌〕食肉生痰。

**橘皮** 其皮陈者曰陈皮，皮青者曰青皮，去皮里白者曰橘红。

陈皮调中快膈，导气消痰；青皮破滞削坚，除痰消痞；橘红顺气化痰，和中利膈。

**柑子** 性寒。

〔宜〕顺气调中，解酒热。

〔忌〕多食损齿。

**橙子** 性寒。比柑稍大。美在皮。下气消痰，止恶心。肉不可食。

**柚子** 性寒。大如瓜。皮肉逊柑。消食，解酒。

**香橼** 性寒。大小如橙，蒂如金钱。取其气香，皮肉俱不佳。

金橘　性微寒。小如茧。皮甘，肉酸。功用同柑。

佛手柑　性温。止心下气痛。

梨子　性微寒。

〔宜〕润肺消痰，降火止渴，解酒。生者清六腑之热，熟者滋五脏之阴。切片贴汤火热毒。

〔忌〕脾虚泻痢及血虚人，不宜食。

梨汁　治中风失音。

苹果　性平。

林檎　性温。大为林擒，小为奈子。

〔宜〕下气消痰。

白果　性温而涩。

〔宜〕熟食温肺益气，生食降痰解酒。

〔忌〕多食壅气。小儿动疳。

读经典 学养生

寿世传真

SHOU
SHI
CHUAN
ZHEN

修养宜饮食调理第六

**核桃** 性热而涩。即胡桃。

〔宜〕固肾涩精，温肺润肠，补气养血。

〔忌〕 多食动风痰、助肾火，有痰火者不宜。

**橄榄** 性凉。

〔宜〕生津除烦，解毒醒酒。

**橄榄核** 烧灰敷蛀疳良。磨水化鱼骨哽。

**荔枝** 性温。

〔宜〕入肝肾，散滞气，辟寒邪。

〔忌〕 多食发虚热，口舌龈肿衄血。仍以壳浸水，饮之即解。

**龙眼** 性温。

〔宜〕 益脾长智，养心包，止肠风下血，润肺，治健忘。

〔忌〕 中满者不宜食。多食衄血。

**榧子** 性涩。

〔宜〕消谷令人能食，滑肠可治五痔。

〔忌〕与绿豆相反。

**葡萄** 性平。

〔宜〕冷而不寒，除烦解渴，逐湿利水。

**桑椹** 性凉。色黑入肾。

〔宜〕峻补肾水，通利关节，安魂镇神，聪耳明目，解酒热，乌须发（取熟透者），滤汁熬膏加蜜，点汤②和酒并妙。

**枇杷** 性平。

〔宜〕利肺气，止吐逆，润脏除热。

**柏子仁** 性温润。

〔宜〕养心气，润肾燥，助脾滋肝，益志宁神，聪耳明目，除风湿，泽皮肤。常食有益无损。

**山楂** 性冷。

〔宜〕消食积，补脾化滞，止痢。

寿世传真

读经典 学养生

SHOU
SHI
CHUAN
ZHEN

修养宜饮食调理第六

〔忌〕脾弱者恐太克伐，不宜多食。

**石榴**　性温。

〔宜〕止泻痢，除咽喉燥渴。

〔忌〕多食损齿。

**樱桃**　性热。

〔宜〕益脾气，止泄精。

〔忌〕内热，有喘嗽者不可食。

**杨梅**　性大热。

〔宜〕消食，涤肠胃，止酒吐。

〔忌〕多食发热，损齿。

**落花生**　性平。

〔宜〕脾肺。香能舒脾，色白入肺。

〔忌〕油者不宜食，反能致咳。

**莲子**　性温、涩。

〔宜〕补脾。能交水火而媾心肾，安靖③
君相火邪，益十二经脉血气，涩精气，浓肠

胃，除脾泄久痢，白浊、梦遗、女人崩带、诸血病。

**藕节** 性温而涩。 解热毒，消瘀血，止吐衄淋沥、一切血症。

**莲须** 性涩。清心通肾，固精乌发。

**藕粉** 安神益胃。

**菱** 性寒。
〔宜〕消暑，止渴，解酒。

**芡实** 性温而涩。
〔宜〕固肾益精，补脾去湿，止泄泻，除梦遗。煮熟研膏同粳米作粥，甚助精气。

**荸荠** 性寒滑。味甘。主化坚。即地栗。
〔宜〕益气安中，开胃消食；除胸中实热，止五种噎膈④。能消坚削积，和铜钱嚼之，则钱碎。

**槟榔**　性温。味辛、苦、微涩。

〔宜〕破滞散邪，攻坚去胀，消食行痰，除风下水，醒酒解瘴。

〔忌〕过食泄脏气。

**甘蔗**　性寒。味甘。

〔宜〕和中助脾，除热润燥，止渴消痰，解酒毒，利二便。

〔忌〕多食出鼻血。

**甘蔗汁**　与姜汁同服，止呕哕反胃。

**白糖**　性温热。和中，消痰止嗽。

**红糖**　性温热。同白糖皆蔗汁熬成。补脾润肺。

**蜜糖**　生凉熟温。味甘。痘痂不落以此敷之。

〔宜〕丸药，润燥，止嗽，除痢，明目，悦颜。

〔忌〕略滑肠，泄者忌用。不宜同葱食。

**饴糖** 性热。味甘。即米糖，糯米熬成。

〔宜〕和脾润肺，化痰止嗽。

〔忌〕多食发湿热，动火，损齿。

注

①桐油：为将采摘的桐树果实经机械压榨，加工提
炼制成的工业用植物油。

②点汤：宋元风俗。客至泡茶，送客时再以沸水
冲茶。

③靖：安定，平定。

④噎膈：中医病名。指食物吞咽受阻，或食入即吐
的疾病。

水　性各不同。味淡。

天雨水　性平。久下淫雨为潦水。

〔宜〕治心病狂邪。

露水　性平。露能解暑，疟疾由于暑，故治疟之药宜露一宿服。

〔宜〕止烦，清心。

雪水　性冷。

〔宜〕解疫，去酒热，消痧①痱。洗目退赤。

冰水　性冷。

〔宜〕去烦热，解暑毒、酒毒。

〔忌〕多食，寒热相激，成脾疾。

海水　性温。

〔宜〕去风瘙，消食胀。

江河水　性平。

〔宜〕煎通二便药。急流者，性速而达下；回流者，性逆而倒上。

泉水　性寒。

〔宜〕解热闷烦渴。

温泉水　性热。下有硫磺。

〔宜〕治疥癣。

井水　性平。山泉者上，城市者下。清晨初汲，为井华水。

〔宜〕治热解烦。

地浆水　性寒。掘地作坑，用新汲水②搅浊待澄取用。

〔宜〕治中暑喝。

阴阳水　性平。生熟各半。

〔宜〕治上吐下泻，仓卒霍乱。

扬劳水　性速。用勺扬起千遍。又名甘澜水。

读经典学养生

寿世传真

SHOU
SHI
CHUAN
ZHEN

修养宜饮食调理第六

〔宜〕通二便。

百沸水　性温。滚水久沸。

〔宜〕主发散，助阳气。

屋漏水　性寒。

〔忌〕有毒，不可用。

花瓶水　性热。

〔忌〕有毒，不可饮。

盐卤水　性热。有毒。熬盐初热，槽中滴下黑水。

〔忌〕有大毒。

碱水　性温、涩。取蒿、蓼等草，用水浸过，晒干烧灰，以所浸之水淋汁，入白面凝结成碱。

〔宜〕消食磨积，洗衣去垢。

〔忌〕多用损肠胃。

米泔水③　性甘、平。

〔宜〕常饮调和脾胃。浸洗药良。

甑气水④　性凉。

〔宜〕洗面上口唇烂疮。

饭汤水　性温。

〔宜〕调中开胃，理脏腑。

**茶** 性微寒。新茶性热，陈茶性凉。

〔宜〕除烦止渴，消食下气。解食物油腻烧炙之毒。浓煎引吐。和生姜煎，名姜茶饮，茶助阴，姜助阳，使寒热平，治小伤风寒可常用。

〔忌〕多食寒胃，消脏腑脂膏。（嗜茶面黄，寒伤胃也。）酒后饮茶，引入肾经、膀胱，多患瘕疝⑤、水肿。空心早起亦忌。《本草拾遗》云：饮茶能消食除痰，止烦去腻，然过饮则伤脾胃。每食后，以浓茶漱口，烦腻既去，脾胃不损，且食物之在齿间者，得茶漱涤之，尽消缩脱去，不烦刺剔，而齿亦因此坚密。

**孩儿茶** 性涩。出南番。以细茶末入竹筒埋土中，日久取出，捣汁熬成块。

〔宜〕清热，收湿，止血，化痰，生津。涂肌定毒疼。


**酒** 性热。味辣者能散，味苦者能降，味甜者能和，味淡者利小便，味厚者性烈毒。最宜温服，宜少饮有益。

〔宜〕和血行气，壮神御寒，消愁却邪，

寿世传真

读经典 学养真

SHOU
SHI
CHUAN
ZHEN

修养宜饮食调理第六

逐秽暖水，能通行一身之表，引药至极高之分。
此少饮之益。

〔忌〕热饮伤肺，冷冻饮料伤脾，多饮伤
胃，成蛊膈⑥，动火致吐血消渴，积湿生痰气
足病，蓄热生痈疽及成痔漏，为害无穷，至丧
命不可救药。

烧酒　性大热。

宜浸药饮，贴汤火伤。不宜多饮热饮。

高粱酒　性平。即稷米酒。

和中止泄，治腹疾良。

粟米酒　性寒。

胃热稍渴者，饮之良。泄泻者不宜饮。

戒酒语：

陈宗泗曰：斟于杯中者，酒也。吸于口，
入于喉，则流毒无穷。伤脏坏腑，乱性昏神，
失事废时，生嫌惹厌。助狂徒之气，发钝夫⑦
之言，致无形之疾，损有限之年。内受种种
暗伤，外现般般丑态。本能者纵而不节，不能
者效而强贪。习惯难移，悔而莫及。今为改酒
之名，谓之祸水。

①痧：中医指霍乱、中暑、肠炎等急性病。

②新汲水：刚打的井水，可以入药。

③米泔水：淘洗食米的水。

④甑（zèng）气水：蒸糯米时，甑篷四边滴下的气水。

⑤瘕疝：腹中气郁结块的疾病。

⑥蛊膈（gǔ gé）：腹胀不思饮食的疾病。

⑦钝夫：蠢人。

**麻油**　性热。

〔宜〕解毒润肠。调疮毒药良。

〔忌〕生食滑肠胃。

**菜油**　性热。生则热，煎则寒。

**茶油**　性平。

〔宜〕腌小菜。

**豆油**　性热。气膻。

〔宜〕润肠。

〔忌〕多食反困脾。

寿世传真

读经典 学养生

SHOU
SHI
CHUAN
ZHEN

修养宜饮食调理第六

**桐油** 性冷。

〔宜〕熬膏药。解热毒。

〔忌〕误食大作泄泻。用陈柿饼煎水即解。

**盐** 性寒。人心火盛，笑不止似疯者，用盐煅赤，煎水饮之，即止。

〔宜〕清火，解毒，固齿。善入而软坚。

〔忌〕多食，伤肺发咳，伤肾发渴，助水肿，损容颜，泄胃中津液（过食咸味必口干，可知）。

**醋** 性温能敛。

〔宜〕消食，解毒，开胃，令人思食。治口舌热疮，含漱即愈。

〔忌〕多食损齿、悴颜、伤筋（因收缩太过也）。

**酱** 性微寒。以豆造。陈久者良。

〔宜〕除热及汤火毒，杀一切鱼肉菜毒。

〔忌〕多食助湿损精（因咸入肾也）。患

疮疖愈后勿食，防疤黑。

**糟**　性热。陈者性平。

〔宜〕消食化滞。

〔忌〕有痰火病者勿食。


**红曲**　性温。

〔宜〕消食活血。


**芥辣**　性温。

〔宜〕入肺，发汗散寒，利气豁痰。敷痈毒，消肿止痛。

〔忌〕久嗽肺虚者勿食。


**茴香**　性热。如麦大者为小茴，有棱瓣者为大茴。

〔宜〕和中益肾，暖丹田。最利下部。

〔忌〕多食发疮。因香辛故也。


**花椒**　性热，纯阳。秦产者名秦椒，蜀产者名川椒。椒之子名椒目。

寿　读经
世　典学
传　养
真　生

SHOU
SHI
CHUAN
ZHEN

读经典 学养生

寿世传真

SHOU
SHI
CHUAN
ZHEN

修养宜饮食调理第六

〔宜〕入肺发汗散寒，治咳嗽。入脾暖胃燥湿，消食除胀，除心腹冷痛。治阳衰溲<sup>①</sup>数阴汗<sup>②</sup>，补肾，坚齿，明目，通经，杀痨虫，安蛔虫。

〔忌〕肺胃热者不宜多食。


**椒目**

〔宜〕治水蛊<sup>③</sup>、肾虚耳鸣。


**胡椒**　性热。久蒸久晒，可用暖胃。

〔宜〕暖胃快膈，治寒痰冷痢、胃寒吐水。

〔忌〕多食损肺走气，痛齿昏目，动火发疮发痔（此言生椒）。


**红椒**　性热。色红如珊瑚。有长而尖者，有短而圆者。又名海椒。

〔宜〕入大肠。解毒。切细和酱及猪油炒做菜料，治各痔疮神效。

〔忌〕生食多食，致齿痛唇肿。


**烟草**　性热。

〔宜〕散食胀、风寒湿痹，消滞气停痰，解山岚瘴气。

〔忌〕多食，火气熏灼，耗精损神。

此烟草自明代万历年间始出于闽广。其相习食烟之始，以征滇之役，师入瘴地，无不染病，独有一营无恙，因众皆食烟故也。

性属纯阳，其气强猛，故下咽即醉。虽散瘴邪，亦耗正气，凡火盛气虚之人，决不可用。

食烟醉闷者，噙冷水可解。或红白砂糖亦解。

戒烟语：

汪三依曰：近日尚吃烟。予④每语人曰：为何以火烧五脏？请看吃烟之管，其中垢腻积满，人之腹内亦必如此，其何以堪。有人闻予言，忽猛醒，誓戒不用。初甚决绝，少焉忆及，便开戒矣。予曰：病酒而禁酒之夫，破戒不待终朝⑤；难产而畏产之妇，好合何须盈月。嗜烟之癖，甚于酒色，惑溺殊⑥可怪也。

**注**

①溲：指小便。

②阴汗：指外生殖器及周围（包括大腿内侧近腹阴处）

读经典学养生
寿世传真

SHOU
SHI
CHUAN
ZHEN

修养宜饮食调理第六

部位经常汗多，且汗味多臊臭的病证。

③水蛊：一般是指水盛引起的全身水肿。还有一种
　说法是由于寄生虫引起的身体肿胀。

④予：同"余"，我。

⑤终朝：早晨。

⑥殊：很，非常。

斋戒语：

人能斋戒，本是好念，何可尽非，然须问
其发念果属何为。若只为畜类惜生，为福利求
佑，为媚悦①佞②佛，此三者皆可不必也。何
也？如谓物与己同类，不宜宰食，则六畜原
为人用，圣王立政，令畜五鸡二彘③者为何也。
且卿大夫食肉，祠先者血食，奉亲者有酒肉，
岂皆不仁不慈之事也。如谓福利于己由此可求，
世间善食甚多，积善必有余庆。其他善事可
以不为，而独借持斋，冀必获福，有是理乎？
至谓以慈佞佛，媚而悦之，夫慈本仁德，仁者
人也，当以爱人为先。论爱人泛而同类，近而
亲友，至切而家庭，皆在当爱。今人于一体人类，
漠不相关，独区区惜此畜类，何慈之有。而谓

为佛者不论真慈假慈，惟佑持斋之人以为媚己，恐无是佛矣。夫所谓斋者，在明洁其心，内外兼持。一为虔修祀事。当奉祭祖先神明，斋明盛服④，饮食必改常。以昭敬也。一为抑制嗜欲。口之于味，为嗜欲之首，人所最难餍⑤足者。而昏志气，生疾病，皆原于此，所谓祸从口出，病从口入者是也。能斋，则滋味淡泊，气血不强悍，主宰清明，肉躯皆得其职矣。一为扶助德行。凡人，见善不能决从，见恶不能决去。一念坚持其斋，捐所甚爱，就所不爱，以此洁诚，增长善念，愈积善功。此皆奉斋者之所为，不缘⑥畜类，不缘福利，不缘媚悦，内外兼持，克己正志。人能克己，方许持斋，不然，徒成痴妄之人而已矣。

## 注

①媚悦：讨好，取悦。

②佞（nìng）：善辩，巧言谄媚。

③彘（zhì）：泛指猪。

④斋明盛服：心斋性明端庄仪态，用来恭敬自身。

⑤餍（yàn）足：满足。

⑥缘：因为。

寿世传真

读经典 学养生

SHOU
SHI
CHUAN
ZHEN

修养宜堤防疾病第七

# 修养宜堤防疾病第七

夫人果能顺六气之和，平七情之戾<sup>①</sup>，使疢疾不作，岂不甚善。然疾者，至圣之所慎，惟明哲之人不治已病治未病，既病而需医药，犹临渴而掘井泉，鲜有能济者。况良医难逢，真药莫辨，尝见死于病者十之三，死于医者十之七。盖医之一道，须上知天文，下知地理，中知人事，三者俱明，然后可以语人之疾病。不然，则如无目夜游，无足昼蹑<sup>②</sup>，动致颠仆，而欲愈人之疾者，未之有也。至药之为用，或道地不真，美恶迥<sup>③</sup>别，或市肆多伪，气味全乖④，非惟不能中病，反致病增。用者不察，尝试漫施，则下咽不返，死生立判，顾不大可惧耶。所以有服药者之多毙，不药者之反存。岁庚寅，予补选都门。适同宗前辈某，亦候补郡守，侨寓⑤悯忠寺，抱疴二年，坚忍不服药，惟调息饮食起居。病无减退，亦未加剧。会密友某至京，诣⑥悯忠寺视疾，力荐良医一人，极称其治病如神。前辈某因怂恿难却，强就延医。密友代为购药，意倍殷勤，且决其旦夕奏效。前辈佯诺之。药虽煎，未沾唇也。越日密友亦病，并非沉疴，即所荐之良医药之。前辈日使家仆问讯，盖答其前意之殷勤也。甫⑦数日，仆忽返告曰：密友某死矣。前辈惋叹不已。未几已病全愈，得补官出都矣。

### 注

①戾（lì）：暴恶。

②蹑（niè）：追踪，跟随，轻步行走的样子。

③迥：远。

④乖：背离，违背，不和谐。

⑤侨寓：寄居。

⑥诣：到，旧时特指到尊长那里去。

⑦甫：刚刚，才。

读经典学养生

寿世传真

SHOU
SHI
CHUAN
ZHEN

修养宜堤防疾病第七

又，族叔陶村公宰①来阳，长子婴风寒疾，诸医治莫效。访求一良医，进药数剂，病转甚，势危笃。医来，病者坚拒之。医大言嚷曰：药力不胜病，如再服无效，予甘罪罚。族叔且疑且信，强其子下咽。无何痰起，而气旋绝矣。急索良医，已逃窜无踪。噫，可畏哉。举书籍所传，庸医杀人，不可殚述，此则予所耳而目之者。

或者曰：然则医药固可废乎？曰：何可废也，慎之已尔。慎医药莫如慎疾病，慎疾病尤宜知疾病。今为就一身五脏受病之因、辨病之误、免病之诀，分类指示。据病之种类数百，止就所常见而易构者摘录之。俾于未病之先，知所谨惧，庶几不借神楼②而普登春台也。

按东垣《格致余论·序》谓：故方新病，安有能相值者，泥之且杀人。此编中载病不载方，即此意也。

注

①宰：主管、主持。
②神楼：古剧场中看台之一种。

寿世传真

读经典 学养生

SHOU
SHI
CHUAN
ZHEN

# 心脏

修养宜堤防疾病第七

形如未开莲蕊，中有七孔三毛。位居背脊第五椎。各脏皆有系附于心。

属火，旺于夏四、五月，色主赤。苦味入心。外通窍于舌。出汁液为汗。在七情主忧乐，在身主血与脉。所藏者神，所恶者热。

面色赤者，心热也。好食苦者，心不足也。怔忡①善忘者，心虚也。

心有病，舌焦苦、喉干、不知五味，无故烦躁，口生疮、作臭，手心足心热。

151

①怔忡：中医病名。患者心脏跳动剧烈的一种症状。

寿世传真

读经典学养生

SHOU
SHI
CHUAN
ZHEN

## 肝脏

形如悬瓠①，有七叶，左三右四。位居背脊第九椎，乃背中间脊骨第九节也。

属木，旺于春正、二月，色主青。酸味入肝。外通窍于目。出汁液为泪。在七情主怒，在身主筋与爪。所统者血，所藏者魂，所恶者风。

肝有病，眼生蒙翳，两眼角赤痒，流冷泪，眼下青，转筋，昏睡，善恐，如人将捕之。

面色青者，肝盛也。好食酸者，肝不

足也。多怯者，肝虚也。多怒者，肝实也。

寿世传真

读经典 学养生

SHOU
SHI
CHUAN
ZHEN

**注**

①瓠（hù）：瓠瓜。北方人又叫"瓠子"。

修养宜堤防疾病第七

# 脾脏

读经典　学养生

寿世传真

SHOU
SHI
CHUAN
ZHEN

形如镰刀。附于胃。运动磨消胃内之水谷。

属土，旺于四季月，色主黄。甘味入脾。外通窍于口。出汁液为涎①。在七情主思虑，在身主肌肉。所藏者志，所恶者湿。

面色黄者，脾弱也。好食甜者，脾不足也。

脾有病，口淡，不思食，多涎，肌肉消瘦。

## 注

①涎：唾液，口水。

# 肺脏

形如悬磬①，六叶两耳，共八叶。上有气管通至喉间。位居极上，附背脊第三椎，为五脏之华盖。

属金，旺于秋七、八月，色主白。辛味入肺。外通窍于鼻。出汁液为涕。在七情主喜，在身主皮毛。所统者气，所藏者魄，所恶者寒。

面色淡白无血色者，肺枯也。右颊赤者，肺热也。气短者，肺虚也。背心畏寒者，肺有邪也。

肺有病，咳嗽气逆，鼻塞不知香臭，多流清涕，皮肤燥痒。

注

①磬（qìng）：古代打击乐器，形状像曲尺，用玉、石制成，可悬挂。

修养宜堤防疾病第七

寿世传真

读经典 学养生

SHOU
SHI
CHUAN
ZHEN

修养宜堤防疾病第七

## 肾脏

形如刀豆，有两枚，一左一右。右为命门，乃男子藏精、女子系胞处也。位居下，背脊第十四椎，对脐，附腰。

属水，旺于冬十、十一月，色主黑。咸味入肾。外通窍于耳。出汁液为津唾。在七情主欲，在身主骨与齿。所藏者精，所恶者燥。

面色黑悴者，肾竭也。齿动而疼者，肾炎也。耳闭耳鸣者，肾虚也。目睛内瞳子①昏者，肾亏也。阳事痿而不举者，肾弱也。

肾有病，腰中痛，膝冷脚疼或痹，蹲起发

昏，体重骨酸，脐下动风牵动，腰低屈难伸。

①瞳子：黑睛中央的圆孔，又称瞳孔。

寿世传真

读经典学养生

SHOU
SHI
CHUAN
ZHEN

修养宜堤防疾病第七

人以水谷为生，故脾胃为养生之本。故东垣《脾胃论》曰：历观《内经》诸篇而参考之，则元气之充足，皆由胃气无所伤，而后能滋养元气，一有所伤，而元气亦不能充，此诸病之所由生也。即如脏腑脉候，无不皆有胃气，胃气若失，便是凶候。如凡气短气夺而声哑喘急者，此肺脏之胃气败也。神魂失守，昏昧日甚，而畏寒异常者，此心脏之胃气败也。躁扰烦剧，囊缩茎强，而恐惧无已者，此肝胆之胃气败也。胀满不能运，饮食不能入，肉脱，痰壅，而服药不应者，此脾脏之胃气败也。关门不能禁[1]，水泉不能化，热蒸不能退，骨痛之极不能解者，此肾脏之胃气败也。胃强则皆强，胃弱则皆弱。有胃气则生，无胃气则死。所以察病者，必须先察胃气；凡治病者，必须常顾胃气。胃气无损，诸可无虑。

**注**

[1] 关门不能禁：小便不利。

缪仲淳《经疏》曰：脾为土脏，胃为之腑，乃后天元气之所自出。胃主纳，脾主消，脾亏则不能消，胃弱则不能纳。饮食少，则后天元气无自而生，精血坐是不足也。《经》曰：损其脾者，调其饮食，节其起居，适其寒温。此至论也。然其要，一在戒暴怒，使肝无不平之气，肝木和，则不贼脾土矣；一在养真火。命门者，火脏也，乃先天元气之所寄，即道家所谓祖气，医家所谓真阳气、真相火也。此真

读经典 学养生

寿世传真

SHOU
SHI
CHUAN
ZHEN

修养宜堤防疾病第七

阳真火，每当子后一阳生①。生即上升，过中焦、经脾胃则能腐熟水谷，蒸糟粕而化精微，脾气散精，上输于肺，通调水道，由膀胱气化而出，是谓清升浊降，此无病之常也。常人之壮者有三：一者禀赋原厚；二者保啬②精神，不妄丧失；三者志气无所拂郁③，则年虽迈而犹壮也。苟不慎摄生之道，多欲以伤肾，子后一阳不以时生，不能上升腐化水谷，是火不生土，而脾胃因之日弱也。

**注**

①子后一阳生：子时是一天阴气最重的时候，也是一天中阳气开始生长的时候。
②保啬：节省，节俭。
③拂郁：愤闷。拂，通"怫"。

又曰：脾胃由寒湿生痰，或饮啖过度，好食油面猪脂，浓浓胶固，以致脾气不利，壅滞为患。或不思食，或腹胀、泄泻，皆痰所为。

又曰：脾虚渐成胀满，夜剧昼静，病属阴，当补脾阴；夜静昼剧，病属阳，当益脾气。

经脉篇曰：胃中寒则胀满。

陈无择曰：脾虚多病湿，内因酒面积多、过饮汤液、停滞腻物、烧炙①膏粱过度。

注

①烧炙：烧烤。

寿世传真

读经典学养生

SHOU
SHI
CHUAN
ZHEN

修养宜堤防疾病第七

寿世
读经典 传真
学养生

SHOU
SHI
CHUAN
ZHEN

修养宜护持药物第八

# 修养宜护持药物第八

"上古天真论"曰：男子年过八八六十四数，先天渐失，元气寝虚，脏腑皆衰，筋骨弛懈，血脉短促，精神耗散，肌肉无华，日就憔悴。惟借药饵扶护，以培后天。语云：破屋修容易。此之谓也。古圣先哲尝草以备药，治人百病，复遗方书以利后世，诚以医药有斡旋造化之功。无如服饵①者，守身不慎，致六气外侵、七情内炽、饮食众毒暗攻，虽日进参术，犹之用兵者，锐师临阵、强寇势盛，寡不敌众，无效则谓参术无功，置而勿论，非自贻伊芳戚②乎。

方书所载补益之剂甚多，或真材无处可求，或大药乏资难购，又或铺张灵应，名实不符。今惟取平易而素尝历验者，略载数方，以备采择，既自宝以护身，兼广传而寿世。

前云慎医药戒漫尝者，以病时言也；此云备药物谨护持者，以平时言也。

寿世传真　读经典学养生

SHOU
SHI
CHUAN
ZHEN

修养宜护持药物第八

## 注

①饵：药饵，药物。
②戚：悲衰。

**长春至宝丹**　服此丹能健脾开胃，进食止泻，强筋壮骨，填精补髓，活血助阳，润泽肌肤，调和五脏，延年益寿，返老还童。凡人六十以后，急需接助，以救残衰，服此丹，至老无痿弱之症。

鹿角胶四两　杜仲（姜汁炒去丝）四两牡蛎粉（炒成珠）　枸杞子四两（酒蒸）　哺退鸡蛋壳七个（炙黄，研）　破故纸四两　牛膝四两（酒洗）　黄狗肾三条（酒煨，杵烂）巴戟四两（酒浸）　熟地八两　肉苁蓉（酒洗，去鳞甲）六两　鳖头五两（蜜酥炙）　巨胜子四两（炒）　黑驴肾一条（切片，酒煨，杵烂）琐阳四两（酥炙）　当归四两（酒蒸）　人参鸽子蛋三十六个（煮熟入药）

先将众药磨成细末，将二肾、鸽蛋捣烂，入药拌匀，蜜丸，石臼杵千余下，做成桐子大。每服三钱。

### 老年常服精力不衰方

白蜜二斤　公猪腰子油四两　核桃二斤鸡蛋二十个

先将蜜熬好，猪油切烂放下，又将核桃肉用水泡去皮，捣碎放下，复将蛋打开放下，滚好，随将大碗盛贮。早晚或汤或滚水化开，任服。

**八仙糕**　治无病，久病，老病脾胃虚弱，精神短少等症。

人参　山药六两　莲肉六两　芡实六两茯苓六两　糯米七升　早粳米七升　白糖霜二两五钱

寿世传真　读经典学养生

SHOU
SHI
CHUAN
ZHEN

修养宜护持药物第八

上将山药、参、莲、芡、苓五味，各为细末，再将粳、糯米为粉，与上药末和匀，并白糖入蜜汤中炖化，摊铺笼内，切成条，蒸熟，火上烘干，收好。饥时用白汤泡数条服。舒脾宽胃，功难笔述。

**回春乌龙丸**　此秘方。服之体健身轻，耳聪目明，乌须黑发，齿落更生，阳事强壮，丹田如火，百病消除。

乌龙一付（全用。即乌犬骨，连头至尾脊骨一条，不用水洗，用黄酒浸一宿，用硼砂五钱，和奶酥油搽骨上，火炙黄色为度，秤骨二十四两足。犬须一周年者佳，如走去阳者不效。一犬不足，用二犬骨，务秤足分两）　胡桃仁五钱（去皮，炒黄）　故纸二两（酒炒）石莲子（去壳）一两　远志（甘草水浸，酒炒）一两　枣仁（炒）一两　桑寄生二两　肉苁蓉（酒洗，去鳞甲）三两　石斛（要金钗者）二两　大茴香一两（酒炒）　巴戟（酒浸，去骨）一两　石菖蒲一两　芡实（炒）一两　莲须一两　鹿茸一对（炙酥）

寿世传真

读经典 学养生

SHOU
SHI
CHUAN
ZHEN

修养宜护持药物第八

上药共末，用黄酒打糊为丸，桐子大。每服空腹，酒下。

**牛骨髓膏**　此膏专补虚损，活血荣筋，润泽肌肤，返老转童。

牛髓一斤，炼过白蜜一斤，和在一处，瓷罐收贮。另用炒熟麦面，每面三匙用髓蜜二匙拌匀，滚水或酒冲服。

**脂桃膏**　（取木火相生）

补骨脂十两（拣净，黄酒浸一夕[①]，蒸熟晒干，为末。又名破故纸）　胡桃肉二十两（温水泡去皮，捣如泥）　蜂蜜一斤（白者更佳）

先将蜂蜜入锅内煎一二滚，即以前二味入蜜内搅匀，收入瓷罐内。每饭前空心，酒调一盏服。如不饮酒，用滚水亦可。（忌芸苔、油菜。）

补骨脂属火，坚固元阳，暖丹田，入命门补相火。（肾虚则命门火衰，不能熏蒸，致脾胃虚寒，迟于运化，饮食减少，故补命门相火即是补脾胃也。）胡桃肉属木，温肺化痰，补气养血，通命门，助肾火，合故纸有木火相生之妙，能使精气内充。昔郑相国生平不服他药，只此一方久服，后容颜如少，须发转黑。

### 牛乳膏

牛乳二斤　淮山药一斤（研成粉）　杏仁一斤（滚水泡，去皮尖）

先将山药、杏仁细研成粉，拌入牛乳，用新瓷罐封固久煮。每日空心酒调服。

牛乳补虚劳。山药，白入肺，甘入脾，补其不足；又益肾强阴，益心气，治健忘，化痰，止遗精泻痢。杏仁除风散寒，顺气行痰，润燥消积。

寿世传真

读经典 学养生

SHOU
SHI
CHUAN
ZHEN

修养宜护持药物第八

### 莲薏粥

白莲肉（去皮、心）一两　薏苡仁一两
白米一合

莲肉涩精厚肠，除脾泄。薏苡仁健脾去湿，补肺清热，治脚气，疗筋急。白米粥畅胃气，生精液，除烦清热。

### 黄芪汤

黄芪　乌鸡（骨肉毛俱黑者良）

黄芪补气固表，实腠理；炙用补中，益元气，生血。乌鸡属水（余皆属木，故动风。）补虚温中，益肝肾。男用雌。

### 延年益寿膏　能乌须延年，填精补髓，阴虚阳弱无子者服至半年即有子，神效。

赤白何首乌各一斤（黑豆拌蒸晒）　怀山药四两（姜汁拌炒）　甘枸杞八两　赤白茯苓各一斤（人乳拌蒸晒）　川牛膝八两（酒炒）菟丝子八两（酒炒）　杜仲八两（去皮，姜汁炒）破故纸四两（黑芝麻拌炒，去麻不用）

炼蜜丸，梧子大。每服七十丸，盐汤或酒

任下。

**加味安神丸**　主安神益志，治心虚血少，触事多惊及健忘、不寐。服之神气自足。

当归身（酒炒）二两　熟地黄二两　茯神一两五钱　远志肉一两（泡，去心）　炒酸枣仁一两　炙黄芪二两　人参　柏子仁一两五钱　上桂五钱　白芍药一两（炒）　北五味五钱　小橘红一两　粉甘草五钱

蜜丸。每服三钱，滚水下。

**加减资生丸**　治脾气怯弱，食后反饱。

杭白术（漂）　薏苡仁（炒）　淮山药（蒸）白扁豆（炒）各二两　北桔梗一两　白茯苓（蒸）白豆蔻（去壳，煨）　炒吴曲　大麦芽（炒）香附米　西砂仁（去壳）　净芡实（炒）　广橘皮各一两　粉甘草一两　白莲肉（去心）四两

研末，炼蜜丸。每服五钱。

**辟寒丹**

雄黄　赤石脂（粘香者佳）　干姜

上各等分，为末，用蜜同白松香末为丸，如梧子大。酒送下四丸，至服十丸止。可不衣棉，赤身入水。

### 辟暑丹

雌黄（研，水飞）　白石脂（水飞）　丹砂（研细，黄泥裹烧如粉）　磁石（水飞去赤）

各等分，人乳同白松香为丸，如小豆。空心白汤送下四丸，服至三两许。夏月衣裘褐②，暑气亦不侵入。

二方乃仙传，颇有神验也。

### 黑发乌须方

黑豆五升，拣去扁破。用一大砂锅，将乌骨老母鸡一只，煮汤二大碗。无灰老酒二大碗。何首乌四两，鲜者用竹刀削碎，陈者用木槌打碎，陈米四两，旱莲草四两，桑椹三两，生地黄四两，归身四两，破故纸二两，俱为㕮咀，拌豆。以酒、汤为水，砂锅大作一料，砂锅小作二料，用文火煮豆，以干为度。去药，存豆，取出晾去热气，以瓷罐

寿世传真

读经典 学养生

SHOU
SHI
CHUAN
ZHEN

盛之。空心用淡盐汤食一小合。以其曾用鸡汤煮过，早晚宜慎于盖藏，以防蜈蚣也。食完再制。但自此永不可食萝卜。服至半载，须发从内黑出，目明如少，极妙。

注

①一夕：一夜。
②裘褐：粗陋的衣服。